LA SORCIÈRE

MARIE NDIAYE

LA SORCIÈRE

suivi de
Éloge du charme
par
Pierre Lepape

www.leseditionsdeminuit.fr

En application des articles L. 122-10 à L. 122-12 du Code de la propriété
intellectuelle, toute reproduction à usage collectif par photocopie, inté-
gralement ou partiellement, du présent ouvrage est interdite sans autorisation du Centre français d'exploitation du droit de copie (CFC, 20, rue des
Grands-Augustins, 75006 Paris). Toute autre forme de reproduction,
intégrale ou partielle, est également interdite sans autorisation de l'éditeur.

LES ÉDITIONS DE MINUIT

En couverture : Paul Klee :
« Il y avait une enfant qui ne voulait jamais
(Es war ein Kind das wollte nie), 1920, 88 »
© Adagp, Paris, 2003
28,3 × 18,7 cm – aquarelle et encre de Chine sur papier
– Collection Rozengart, Luzern

© 1996/2003 by LES ÉDITIONS DE MINUIT
7, rue Bernard-Palissy, 75006 Paris
www.leseditionsdeminuit.fr

ISBN : 978-2-7073-1810-7

PREMIERE PARTIE

Quand mes filles eurent atteint l'âge de douze ans, je les initiai aux mystérieux pouvoirs. Non pas tant, mystérieux, parce qu'elles en ignoraient l'existence, que je les leur avais dissimulés (avec elles, je ne me cachais de rien puisque nous étions de même sexe), mais plutôt que, ayant grandi dans la connaissance vague et indifférente de cette réalité, elles ne comprenaient pas plus la nécessité de s'en soucier ni d'avoir, tout d'un coup, à la maîtriser d'une quelconque façon, qu'elles ne voyaient l'intérêt pour elles d'apprendre à confectionner les plats que je leur servais et qui relevaient d'un domaine tout aussi lointain et peu palpitant. Elles ne songèrent pourtant pas à se rebeller contre cet ennuyeux enseignement. Elles ne tentèrent même pas, certains après-midi ensoleillés, d'y couper sous quelque prétexte. Je me plaisais à croire que, cette docilité chez mes filles peu dociles, mes jumelles fulminantes et impulsives, je la devais à la conscience qu'elles

9

avaient peut-être, malgré tout, là, d'une obliga-
tion sacrée.

Nous nous installions à l'abri des regards de
leur père, au sous-sol. Dans cette grande pièce
froide et basse, aux murs de parpaings, fierté de
mon mari pour son inutilité même (vieux pots
de peinture dans un coin, c'était tout), je tâchais
de leur transmettre l'indispensable mais impar-
faite puissance dont étaient dotées depuis toujours les femmes de ma lignée. Les jours d'été,
les cris et les rires des petits voisins nous parvenaient de leur pelouse toute proche, la lumière
tombant du soupirail en rais obliques sur le
ciment où nous étions assises semblait s'évertuer
à vouloir tirer Maud et Lise d'une application
dont elles ne pouvaient comprendre le but, et
elles s'acharnaient cependant, sourcils obstiné-
ment froncés, leurs petits visages, semblable-
ment studieux et butés dans l'effort, tendus vers
moi avec un touchant désir de venir à bout de
l'énigme, une patience confiante – certaines
qu'elles étaient, depuis leur très jeune âge, que
leur tour viendrait de posséder mes dons, certaines et s'en moquant. Lorsque, la séance finie,
j'essuyais le sang sur mes joues, épuisée, elles
s'approchaient parfois de la petite fenêtre à barreaux pour crier aux copains d'à côté : Ouais,
ouais, on vient !, puis elles filaient, identiques et
toutes brunes dans leur short, leur maillot de
rugby à rayures, après un baiser désinvolte et
tendrement condescendant sur mon front en

sueur. Rien de ce que je venais de leur apprendre, je le savais, ne serait dévoilé aux petits congénères. Le secret de leurs pouvoirs était jugé par mes filles strictement intime en même temps que fondamentalement inintéressant. En d'autres temps, elles en auraient éprouvé une légère honte. Mais, pratiques, sereines, volontaires, intensément décontractées, avides et, envers l'existence, revendicatrices en toute innocence, elles n'avaient que très peu de pudeur, étaient rarement gênées par quoi que ce fût. Ces intelligentes petites barbares, mes filles, en cela me stupéfiaient.

L'hiver, le sous-sol était sombre et glacé, une lueur grisâtre perçait difficilement le verre dépoli, mais elles s'attaquaient toujours vaillamment, sans même récriminer contre ces conditions matérielles de leur apprentissage (alors qu'en toute autre situation elles protestaient avec virulence dès que leur aise semblait devoir être imperceptiblement mise à mal), au travail ardu que constituait l'assimilation de notre puissance particulière. Je n'avais que très peu de mots à prononcer. Il fallait qu'elles m'observent et, par tout leur être, de l'ensemble de leur petite personne issue de la mienne, intègrent le douloureux processus de la divination. Assises en tailleur, elles se tenaient le menton dans leurs poings serrés et me fixaient sans presque ciller, m'embarrassant parfois, me forçant à sourire, à plaisanter, ce à quoi elles ne répliquaient que par

11

davantage de sérieux et une sévérité impatiente qui traduisaient aussi le peu de crédit que mes filles accordaient à toute forme d'humour, vaguement considéré comme superflu.

Elles apprenaient rapidement, à la même vitesse l'une et l'autre. Après onze mois, les premières larmes de sang coulèrent sur leurs joues le même jour, et, tandis que je m'enthousiasmais, bruyamment pour masquer mon émotion, de cette preuve immuable que Maud et Lise avaient acquis à leur tour la capacité de voir dans le futur et dans le passé, après tout un cortège d'aïeules plus ou moins talentueuses dont la plus âgée et peut-être la plus douée était à ce jour ma propre mère, mes filles, elles, comme déjà blasées, séchaient calmement leurs joues d'un mouchoir en papier, soupiraient de satisfaction d'arriver tout de même à la fin de ces leçons.

— Ce n'est pas pour dire, Maman, mais, vraiment, toutes ces conneries..., fit alors Maud, et ce fut leur seule façon de saluer leur entrée commune dans l'immémoriale procession des femmes aux pouvoirs occultes. L'idée me vint qu'elles n'y croyaient peut-être pas tout à fait. Leur geste pour se nettoyer le visage avait eu quelque chose de tranquille, soulagé et définitif, comme si, la cérémonie enfin passée, il était hors de question qu'elles soumettent jamais encore leur esprit pratique, curieux de connaissances tangibles et fructueuses, à d'aussi stupides exercices.

– Vous savez, ce don peut être utile dans la vie, dis-je, voulant flatter leur goût de l'efficacité. Mais je n'allai pas plus loin. N'ayant moi-même qu'une faible aptitude, juste assez de puissance, semblait-il, pour que le don ne fût pas perdu, qu'il perdurât par mes soins, je ne pouvais leur donner l'exemple d'aucune situation où celui-ci m'eût rendu service. En vérité, c'est un pouvoir ridicule que je possédais, puisqu'il ne me permettait de voir que l'insignifiant. Avec force douleur je mettais en branle ma technique de divination, ou de vision rétrospective, mais, aussi grave que pût être le sujet, je n'apercevais que des détails sans importance, révélateurs de rien du tout : la couleur d'un habit, l'aspect du ciel, une tasse de café fumant délicatement tenue par la personne sur qui je fixais mon regard extra-lucide... De quoi, alors, persuader mes filles sceptiques ? Je le sentais, elles n'avaient que faire de cette nouvelle possession et l'accueillaient avec une bonne grâce forcée, uniquement pour me faire plaisir.

– Promettez-moi une chose, dis-je encore, si un jour vous avez des filles, faites avec elles ce que j'ai fait avec vous durant cette année.

Mais elles se contentèrent de ricaner, haussant leurs petites épaules pointues, puis marmonnant d'un air fermé qu'il ne fallait pas compter sur elles pour se marier un jour. Et elles me semblèrent si féroces, si déterminées, si solidement asexuées dans leurs jeans un peu crasseux qui

13

pendaient lâchement sur les hanches minces, que là encore je n'insistai pas, gênée de me révéler quelque peu sentimentale devant elles si coriaces et directes.

Pourtant, la perspective que le pouvoir ne fût plus transmis m'indignait. Leur grand-mère m'avait instruite à son corps défendant, alors que sa propre puissance, d'une incomparable intensité, lui répugnait tant qu'elle n'en faisait jamais usage. Elle refusait de l'évoquer et s'efforçait sans doute même de ne plus y croire, la reléguant dans le fatras de superstitions que lui avait léguées sa propre mère illettrée. Le jour venu, cependant, tâchant d'oublier pendant quelques mois qu'elle devait mettre en doute l'existence même du pouvoir, et poussée alors par un sens du devoir plus impérieux que sa crédulité, elle m'avait appris ce que je connaissais maintenant, certes à la va-vite, avec un dégoût perceptible qui me faisait me tortiller de confusion sur mon siège, mais sans faillir, jusqu'à me voir répandre à plusieurs reprises d'abondantes larmes de sang. Peut-être, néanmoins, son manque de foi était-il responsable de mes piètres capacités. Il me semblait clair que mes filles, elles, ne se sentiraient contraintes d'obéir à nulle loi dont la violation n'entraînerait pas d'inconvénient majeur pour leur confort et que, même, elles auraient oublié bientôt, en toute simplicité, que la transmission de notre don était une loi. Comment leur en vouloir ? La force de leur énergie inculte, sensuelle, défiait toute possibilité de rancune ou de déception.

Elles m'embrassèrent hâtivement avant de quitter le sous-sol, leurs joues encore tout imprégnées de l'odeur douceâtre, et je pensai que leur père, quand il les embrasserait en rentrant du bureau ce soir-là, comprendrait immédiatement que mes leçons avaient porté leurs fruits. Il ne m'en dirait rien. Il observerait à ce propos la discrétion, légèrement teintée de répugnance et d'antipathie, qu'il montrait toujours à l'égard de mes pouvoirs, dans les rares occasions où je ne pouvais faire autrement que de les utiliser devant lui. Il avait deviné, sans aucun doute, à quel genre d'exercice les filles et moi-même nous livrions régulièrement au sous-sol et, tout en sachant depuis longtemps que ce moment viendrait, peut-être en avait-il été blessé. Peut-être, me disais-je, avait-il espéré, contre toute cohérence, que j'oublierais, négligerais d'initier Maud et Lise, ou que celles-ci se révéleraient tellement rétives à la pénible discipline imposée, il le savait, par l'apprentissage, que je finirais par baisser les bras. Qu'allait-il éprouver, pensai-je avec un peu de crainte, en humant les joues de ses filles ce soir-là ? Je redoutais un peu qu'il ne ressentît soudain envers Maud et Lise l'irrépressible aversion qu'il avait pour moi, dont il n'était pas conscient dans la lourdeur de son esprit fatigué, embrumé, mais qui m'était très claire et qu'il contenait mal parfois.

15

Je ne me faisais guère de souci pour les filles, tant il me semblait que nulle différence de nuances dans les confuses manifestations de tendresse qu'il avait pour elles ne pourrait affecter leur vitalité opiniâtre, avare, tendue vers des promesses et des espoirs qui allaient bien au-delà de nous deux, leurs parents, et se moquaient de nos propres petits objectifs laborieusement atteints. Non, de ce point de vue, rien ne les toucherait, en tout cas venant de leur père piètrement intéressant, bougon et fourbu. Seulement, la conjecture m'épuisait déjà, tandis que je quittais le sous-sol, remontais vers la cuisine, qu'un peu plus de répulsion et de rancœur encore dans le bagage mal ficelé des sentiments de mon mari allait rendre oppressante l'atmosphère, plutôt disharmonieuse, de la maison.

— Tiens, Isabelle, fis-je, une fois là-haut.

L'escalier du sous-sol débouchant directement dans la cuisine, Isabelle me vit entrer avec l'air harassé que l'emploi de mon ridicule petit don posait toujours sur mes traits. Elle s'était installée, comme d'habitude, à l'aise chez nous comme chez elle bien qu'elle ne fût guère plus qu'une voisine. Elle avait amené son fils de quatre ou cinq ans, qui portait un prénom vaguement américain. Je constatai par la fenêtre qu'il était sorti dans le jardin avec Maud et Lise.

— Alors, qu'est-ce que tu as vu ? me demanda aussitôt Isabelle.

Et son visage épais se contracta de nervosité.

Quand nous étions arrivés dans cette petite ville, deux ans auparavant, j'avais commis l'imprudence de lui parler de mes pouvoirs, dans l'idée optimiste de tenter de l'initier, puisque rien n'interdisait, après tout, que le don fût passé à d'autres femmes que mes filles, et parce qu'Isabelle me paraissait être un personnage important qu'il me fallait, me semblait-il alors, absolument conquérir. Elle régnait incontestée sur notre petit lotissement de pavillons neufs, et son autorité ne se mesurait pas à l'aune d'une certaine somme de qualités objectives, car Isabelle n'était ni jolie ni intelligente, ni travailleuse ni sympathique, ni même subtilement et perversement séduisante, mais s'imposait, cette autorité, comme fait historique, dûment enseigné de voisine à voisine. Isabelle et son mari avaient fait construire ici les premiers ; de cette arrivée sur le terrain encore en friche, aux portes de la ville, elle avait su tirer la nécessité d'être, en quelque sorte, notre mémoire à tous, qui débarquions de tous les coins de la région, voire du pays. On apprenait d'Isabelle ce qu'il fallait savoir du comportement des uns et des autres afin de ne pas perturber la bonne entente générale du quartier, et, si on voulait se mettre en froid avec Isabelle pour ne pas l'avoir sur le dos plusieurs après-midi par semaine, elle laissait clairement entendre qu'elle nous fâcherait avec tout le lotissement, cancanière et sans scrupules comme elle l'était. Grasse et forte, moulée dans des tenues

17

élastiques, cheveux décolorés et visage fier, obtus, inquisiteur, elle se baladait de maison en maison, tirant par la main son fils qu'elle ne manquait pas d'injurier copieusement s'il butait ou tombait, s'il pleurnichait de fatigue, s'il l'embêtait enfin d'une quelconque manière.

Donc, j'avais proposé de lui apprendre le peu que je savais, ayant eu l'impression, au début, que je ne lui plaisais pas beaucoup. Et ce n'est pas sans honte que je me rappelais aujourd'hui avoir poussé la couardise et la veulerie jusqu'à souhaiter amadouer l'infernale Isabelle par un cadeau si précieux, m'être sentie alors indigne d'être appréciée d'elle autrement qu'en caressant son sens aigu des bonnes affaires. Mais j'avais compté sans l'énorme paresse d'Isabelle, qui refusa tout net d'apprendre quoi que ce fût dès lors que je lui parlai de séances régulières. Ce que je lui offrais si totalement et si lâchement, et qu'elle ne perçut d'ailleurs que d'une façon brouillonne, morcelée, pratique, ne l'intéressa que dans la mesure où elle crut pouvoir en extraire un avantage immédiat. Elle me pressa aussitôt de lui dire si son fils ferait Polytechnique, ou plutôt de le lui confirmer.

— Alors, tu l'as vu, cette fois ?

Je me laissai tomber sur une chaise en face d'elle, devant notre table recouverte de toile cirée.

— Tu sais, je ne vois jamais grand-chose, Isabelle.

18

– Oui, mais là, est-ce que tu l'as vu, oui ou non, ce petit con ? Tu l'as vu dans cette école ?

Isabelle avait le visage rouge, impatient, marqué de vieilles traces d'acné. Elle portait un sous-pull gris qui détaillait très exactement, presque scrupuleusement, les cinq gros plis que formait son ventre lorsqu'elle était assise. Elle était coquette, mais il lui manquait deux prémolaires. Je songeai alors que je ne pourrais éviter de lui servir un apéritif et qu'Isabelle s'attarderait, car c'était son heure nonchalante, m'empêcherait de préparer quoi que ce fût de correct pour Pierrot (mon mari) qui allait rentrer bientôt, mécontent depuis le garage de ne sentir nulle odeur appétissante, nourrissant encore ses griefs imprécis, entêtés, de tous les bons dîners auxquels il avait droit et que je n'avais pas été capable de lui cuisiner à temps. Pauvre Pierrot, pensai-je, contraint de passer après Isabelle.

Je respirai un grand coup et, souriante, répondit :

– J'ai entrevu quelque chose de ton petit Steve, oui, je l'ai aperçu, âgé de vingt ans environ, qui marchait dans une large avenue, sous un soleil matinal, plein de promesses. Il portait une chemise blanche mais pas de cravate, il me semble qu'il souriait. Voilà ce que j'ai vu, Isabelle. Cela m'a demandé beaucoup d'efforts.

Puis je me détournai légèrement vers la fenêtre pour contrer tant soit peu Isabelle dont les lèvres minces, un pli pâle et sec qu'elle mâchouillait avec irritation, préparaient une volée de questions.

Maud et Lise avaient disparu. Esseulé, Steve se tenait planté au milieu de la pelouse, frissonnant dans le soir qui tombait, les bras ballants, l'air perdu et résigné. Il savait que sa mère n'aimait pas être dérangée quand elle discutait et qu'elle se plaignait assez de l'avoir dans les jambes, fût-il éloigné d'elle de plusieurs mètres. Il l'attendait pour rentrer chez eux, patient et craintif. Mais la forte volonté d'Isabelle que son fils devînt quelqu'un de hautement performant lui promettait, ce soir, une longue attente, car elle ne me quitterait pas avant que je lui eusse dit ce qu'elle désirait entendre.

— Pas de cravate, tu dis, mais on doit bien porter des cravates, là-bas, tous les polymachins en portent une, de cravate. Qu'est-ce que ça veut dire, Lucie, pas de cravate ?

— Tiens, d'abord, faisons entrer Steve, il n'a pas l'air d'avoir chaud, plaidai-je machinalement.

— Oh, pour un coup qu'il se tient tranquille, pourquoi tu veux le faire rappliquer, dis ? Si tu savais comme il fait suer sa petite maman à longueur de journée, je ne suis pas comme toi, moi, je m'énerve, qu'est-ce que je m'énerve avec ce petit con. Enfin, une cravate, il devait bien en avoir une, quand même. Tu crois qu'il l'avait fourrée dans sa poche, peut-être bien, tu dis que tu as vu du soleil, il avait peut-être enlevé cette foutue cravate pour la rouler dans la poche de son pantalon ?

– C'est possible. Un petit martini, Isabelle ?

Et je parlais avec enjouement, ne pouvant encore m'affranchir du besoin dégradant de contenter cette fille peu aimable, acrimonieuse et rusée. Elle était plus jeune que moi, ce qui m'étonnait toujours et, dans un sens étrange, me ravissait, en me portant à l'aimer malgré tout beaucoup plus qu'elle ne le méritait. Pauvre Isabelle, me disais-je parfois, quand je me rappelais soudainement qu'elle n'avait que vingt-trois ou vingt-quatre ans. Oh, pauvre Pierrot, me dis-je encore, en servant son martini rouge à Isabelle.

Je tendais l'oreille vers la porte du garage, envahie par la peur maintenant, incapable pourtant de mettre Isabelle dehors. J'entendis Maud et Lise claquer la porte d'entrée, puis monter bruyamment dans leur chambre. La nuit enveloppait maintenant la frêle silhouette de Steve, seules s'en détachaient les lettres fluorescentes de son blouson, de chaque côté de la fermeture éclair : FOR A PRETTY BOY – BEST IN WORLDWIDE. Il se tenait si parfaitement immobile, sans doute assommé d'ennui et d'hébétude, qu'on eût pu le prendre pour une nouvelle sorte de statue de jardin. A son propos, je n'avais menti que sur un point à Isabelle : Steve ne souriait pas dans la vision que j'avais eue de lui à vingt ans, marchant à grands pas, un certain matin d'été, il ne souriait pas du tout mais avait une expression

21

d'une tristesse poignante et, sur son petit visage banal, pointu, quelque chose de vaguement loupé et vieilli.

J'ouvris soudain la fenêtre et appelai :

– Steve, viens donc boire un jus d'orange.

– Pas la peine, dit calmement Isabelle, il ne viendra que si c'est moi qui le sonne. Tu n'as pas des cacahouètes ?

Après quoi, elle se leva brusquement, le verre à la main, et pencha tout le buste dehors, vociférant :

– Ramène-toi, dépêche !

Moulées par le sous-pull, ses épaules étaient si grasses et si puissantes qu'elles roulaient sous le coton léger au moindre mouvement des bras d'Isabelle. Elle agitait sa tignasse blanchâtre, aux racines noires, qui tombait en petites mèches effilées sur la nuque couverte d'un duvet sombre. Puis elle se rassit, satisfaite et morose, finit son martini en faisant claquer sa bouche, tandis que je fouillais dans le placard à la recherche de cacahouètes et que le petit Steve, brutalement aiguillonné par l'ordre de sa mère, se hâtait vers la cuisine. Il entra prudemment, les yeux au sol, sachant par expérience qu'une chose entendue pouvait être contredite une minute après par Isabelle, avec autant de violence et d'indignation que s'il lui avait désobéi sciemment. Il resta près de la porte et je lui tendis son jus. Il avait les gros yeux globuleux de sa mère et, ne sachant sur quoi les poser qui fût autorisé, il avait le regard instable, hagard, terrifié et vaincu, même hors sa présence.

Je remplis une fois encore le verre d'Isabelle, poussai de son côté le bol de cacahouètes. A son allure alanguie, détachée, je sentais venir la mélancolie vantarde. Elle faisait tourner doucement ses bagues sur chaque doigt, des anneaux de métal argenté ornés d'une tête de lion, d'un gros cœur, de lettres épaisses : I AM OK. Alors je m'aperçus, comme Steve avait ouvert son blouson, que des dizaines de mots parsemaient en tous sens les vêtements de l'enfant, son polo, son pantalon de sport, ses baskets : LITTLE BEAR – BEST TEAM – HEADING FOR NY – BIKES AND CARS – HI MAN.

– Tu vois, Lucie, marmottait Isabelle, bon, ben, telle que tu me vois, je suis comme je suis, d'accord, mais il ne faut pas s'imaginer que ce sera toujours comme ça, que je serai toujours là à...

– Ton mari ne va pas s'inquiéter ? murmurai-je. Il est déjà huit heures.

Les yeux mi-clos, je vis le mari d'Isabelle, sans effort, sans même le vouloir. Dans leur cuisine à peu près semblable à la nôtre, debout il se servait un verre de vin, éclairé par les fortes ampoules d'un petit lustre rustique. Son visage n'exprimait rien, ni fatigue ni impatience, que le vide résigné d'une situation habituelle. Je tentai alors de tourner ma vision vers Pierrot, mais je n'aperçus de lui que le bout rougeoyant de sa

cigarette. Deux grosses larmes de sang tremblaient au bord de mes paupières.

– Tiens, tu as vu quelque chose, dit Isabelle,
les remarquant. Qu'est-ce que c'était ?

Elle emplit sa bouche de cacahouètes. Elle les
logeait au creux d'une joue puis, de la langue,
les faisait descendre une par une entre ses dents.

– Je voudrais bien savoir, Lucie, je voudrais
bien que tu me dises où j'en serai dans quelques
années, avec Steve sur les bras. Si, par-dessus le
marché, il n'y rentre pas, dans cette école, s'il
n'avait même pas sa cravate dans la poche mais
pas de cravate du tout, le cou à l'air comme un
pauvre type... Eh, Steve, regarde-moi un peu,
comment ça se fait, dis, que Lucie t'aies vu sans
cravate ? Qu'est-ce que ça veut dire, ça ? Tu
crois peut-être que ta petite maman supportera
que tu deviennes un zéro, tu crois que c'est pour
ça que je me crève à te donner une éducation,
sans rien faire de ma vie, juste voir le temps
filer ?

Steve roulait ses gros yeux d'un air paniqué.
Il me regarda, cherchant de l'aide, une explica-
tion, et dans le même temps il triturait sa bra-
guette barrée d'un joyeux : THE BEST OF YOU,
avec nervosité.

– Je suis certaine que Steve fera du mieux
possible, dis-je, convaincue. Va donc faire pipi,
tu sais où sont les toilettes.

– Va pisser, Steve, dit Isabelle d'une voix
magnanime.

Elle soupira, finit son verre d'un trait, libéra sa joue de la dernière cacahouète. Soudain contente, elle soupira encore :

– Ah, ma vie !

Puis elle se leva enfin. Elle s'étira, son sous-pull remontait sur son ventre blanc, proéminent, bien tendu, au-dessus du caleçon noir qui gainait si étroitement ses courtes jambes robustes, ses hanches larges, que son entre-cuisse en était parfaitement et candidement distinct. En bas, d'austères et sérieuses chaussures de sport, faites pour la course intensive. Maud et Lise déboulèrent dans la cuisine en petits fauves avides.

– Maman, on a faim. Steve a pissé partout sur le siège, il n'ose pas revenir.

Isabelle grogna, mais les deux martinis, entrecoupés d'un survol contemplatif de son existence encore pleine d'espoir, de calculs ambitieux, l'avaient rendue paresseuse, clémente, aussi ne bougea-t-elle pas. Ses principes sur la nécessaire autorité maternelle n'incluaient d'ailleurs pas que Steve dût en permanence se montrer sous son meilleur jour.

Je trouvai le garçon debout dans la petite pièce des toilettes, lumière éteinte. Grelottant de fatigue, d'effroi, il me regarda de ses yeux affolés, et, comme je me sentais trop lasse pour tâcher de le rassurer, je me contentai de le tirer par la main. Mais, dans l'incompréhension constante où il vivait des sentiments et volontés des adultes à son endroit, il pouvait me croire fâchée, décidée à l'anéantir d'une manière ou d'une autre. Aussi je m'efforçai de lui sourire, en l'assurant que ce n'était pas grave. Au même instant, une seconde vision de Steve s'imposa à mon esprit : âgé d'une trentaine d'années peut-être, il criait après quelqu'un ou quelque chose que je ne distinguais pas, vêtu d'un tee-shirt tout bariolé de mots et de dessins. Et l'expression de son visage à ce moment me parut si veule, sa bouche si aigre, que je ne pus réprimer un mouvement d'humeur envers le petit Steve dont je devrais encore essuyer l'urine sur le siège des toilettes, sur le carrelage, tout de suite avant que Pierrot ne rentrât, et qui deviendrait impunément ce déplaisant, ce pitoyable jeune homme.

Je le secouai un peu et lançai :

– Oui, tout de même, tu pourrais faire attention, tu es grand maintenant.

Mais l'épuisement et la honte m'accablèrent d'un seul coup. Dans la cuisine, Isabelle pérorait avec les filles, et je vis bien qu'elle avait son compte. Maud et Lise ne détestaient pas Isabelle, même si elles avaient déjà pour elle cet inconscient et très léger, très convenable dédain, d'enfants persuadées que les plus riches possibilités d'une existence faste, victorieuse, leur étaient quotidiennement offertes. Isabelle ne les impressionnait nullement, ce dont je les enviais. Sans doute, me disais-je, Maud et Lise reconnaissaient chez elle une puissance brute et sans soucis pareille à la leur, tout en pressentant la supériorité de leur intelligence sur l'esprit roublard d'Isabelle. Je lâchai la main de Steve et songeai tout d'un coup que c'était le Garden-Club, ni plus ni moins, qui donnait à mes filles leur étonnante assurance sociale.

– Alors, mon petit salopiot, tu as tout dégueulassé chez Lucie ? jeta Isabelle, désinvolte.

Elle calotta Steve sur le haut du crâne, sommairement, sans y penser, puis enfila son blouson de cuir frangé à l'indienne, nous salua d'un « babaille » soudain un peu fatigué, s'en alla brusquement, comme à son habitude quand la douce griserie dans notre cuisine pleine de chaleur et d'égards pour ses vaniteux radotages s'estompait devant la perspective d'un retour chez elle, cinq réverbères plus loin, dans le soir frisquet d'avril, traînant comme un boulet, croyait-elle, une exaspérante erreur, ce petit morveux de Steve à la détresse obtuse.

Je les regardai s'éloigner tous les deux sur la chaussée qui longeait nos maisons semblables, et je fus prise d'une espèce de compassion pour leurs silhouettes un peu tordues, celle d'Isabelle massive et courtaude sur ses grosses chaussures de championne, celle du garçon se pressant, toute frêle, étriquée, cahotante car sa mère marchait toujours trop vite pour ses petites jambes. Pauvre Steve, pensai-je, ce qui me rappela que je devais essuyer le pipi.

Maud et Lise avaient allumé la télévision de la cuisine et faisaient leurs devoirs sur la table, tout en picorant des chips dans un paquet ouvert. L'envie me brûlait la langue de leur demander si elles s'étaient servies de leur pouvoir tout neuf depuis tout à l'heure, et quel degré de qualité, de précision, il avait selon elles, mais la pudeur interdisait que je questionne mes filles à ce sujet. Je leur dis alors, d'une voix un peu abrupte :

— Vous auriez pu vous occuper du gosse, au lieu de venir rapporter devant sa mère qu'il avait...

— On lui a dit, tu es vraiment trop merdeux, répondit Maud. C'est un petit minable, ce Steve, toujours à se rater.

— Mais ce n'était pas très gentil.

Maud, étonnée, me regarda quelques secondes, et son charmant petit visage acéré, presque identique à celui de Lise, exprimait une ignorance si sincère de ce dont je lui parlais que j'en fus, encore une fois, démontée. Mes filles avaient les traits délicats, chaque élément de leur frimousse était finement et nettement dessiné.

— Pourquoi est-ce qu'on devrait être gentilles avec Steve ? Il n'a rien là-dedans, dit Maud en se tapotant le front.

Elle fixa de nouveau son regard sur l'écran, ennuyée de mes paroles, sans malice. Ses cheveux s'arrêtaient au niveau de son petit menton affûté. La perfection de mes filles m'émerveillait. Je soupirai tout de même, puis je m'emparai de la serpillère et, tandis que je retournais vers les toilettes, je vis en songe le visage de Pierrot, nimbé d'une lueur bleuâtre vraisemblablement produite par le velours des sièges de sa voiture. C'était là une vision du présent, du moment actuel, une simple représentation en images de ma pensée qui s'était machinalement portée sur mon mari.

S'il roule, j'ai encore quelques minutes devant moi, me dis-je, rassurée.

Le sang qui coulait alors de mes yeux était pâle, mêlé d'eau, car ce n'était qu'une modeste projection, un à-côté de la destination réelle du pouvoir qui s'occupait du passé et de l'avenir, aussi j'essuyai mes joues du dos de la main, vaguement troublée d'avoir vu bouger, me semblait-il, les lèvres de Pierrot : à qui pouvait-il être en train de parler dans sa voiture ?

Mon mari rentrait du Garden-Club, situé à trente kilomètres de chez nous, où il passait la journée à tenter de convaincre des couples aisés et respectables d'acheter pour l'éternité une semaine de vacances annuelle en des lieux aussi variés qu'idylliques du monde entier, une toute petite semaine par an, certes, mais dont Pierrot se chargeait de montrer qu'elle serait inoubliable et de faire comprendre qu'elle s'ajouterait à d'autres semaines inoubliables au cours des années, ce qui, au bout du compte, offrait aux clients quelques centaines de journées merveilleuses pour une somme, assenait alors Pierrot, presque indignement dérisoire. Au Garden-

Club, la stratégie de conquête était soigneusement minutée. Invités par un courrier flatteur quinze jours auparavant, les clients potentiels arrivaient pour le déjeuner, dans le grand parc artificiel du Garden-Club, ceint de hautes grilles, en pleine campagne. Ils étaient reçus par Pierrot, qui leur faisait les honneurs du vaste buffet de charcuterie et de salades exotiques, en profitait pour glisser déjà quelques mots de son affaire, puis les conduisait à la piscine, au sauna, au salon de massage, attendant toujours non loin, toujours à portée de vue dans son costume gris clair à l'écusson du Garden-Club, et avançant toujours un peu davantage, chaque demi-heure, dans l'exposé des inconcevables privilèges que donnait l'achat pour la vie entière d'une semaine de prélassement annuelle à Bora Bora, à Miami, à Trouville, presque partout où la fantaisie la plus retorse pouvait dicter d'aller. Ensuite, il dînait de façon intime avec ses proies, dont la peau était toute rosie et odorante, l'âme toute reconnaissante qu'on les eût si bien traitées, qu'un personnage important comme Pierrot, avec son costume parfait, un peu large, son visage coupant et sévère, ne les eût pas lâchées d'une semelle, et la fin du repas devait le persuader d'avoir emporté le morceau, ou bien c'était manqué, il le savait par expérience. Voilà ce que faisait Pierrot, il était payé à chaque contrat signé. Comme il était, jusqu'à présent, le seul vendeur du Garden-Club qui avait su

30

convaincre plus d'un couple sur deux, il avait acquis au parc un agréable petit prestige, dont l'auréole ne le quittait pas dès les grilles franchies mais l'enveloppait jusqu'à la maison, jusque chez nous, d'une vague atmosphère de réussite et de satisfaction générale, concrétisée par de bonnes rentrées d'argent. Sitôt qu'il avait passé une heure à la maison, sa morosité le reprenait, sa rancune diffuse et chagrinement entretenue. Mais la modeste gloire dont le paraient ses jolis coups au Garden-Club suffisait à nourrir la prétention sociale de Maud et Lise, même si elles visaient maintenant bien plus haut que le Garden-Club pour leur propre destinée. Nos filles avaient d'ailleurs l'habitude d'une aisance quotidienne car, à fréquenter les couples argentés du Club, les invités comme ceux qui y venaient avec une carte d'abonnement, mon mari n'ignorait plus grand-chose de leurs goûts en matière d'objets et de nourriture, et ces connaissances toutes neuves gouvernaient toujours le moindre achat de la maison, le choix du moindre vêtement pour Maud et Lise. Je savais, moi, que Pierrot n'aimait pas tant que cela gaspiller son argent en babioles, en chaussures de prix, en jouets sophistiqués pour les filles, qu'il avait une réticence atavique à tendre la main vers le plus cher dans une gamme de produits similaires, mais je savais aussi qu'il était fier de constater à quel point ce geste était naturel pour Maud et Lise, à quel point elles avaient peu le sens de

31

l'économie, et je savais encore que mon dégoût pour ces folles pratiques consommatrices l'exaspérait et le vexait. Je songeais que, plus âgées, Maud et Lise l'intimideraient par leur faculté innée à la dépense sans remords, là où lui devait toujours se forcer un peu, toujours batailler avec aigreur contre la figure inflexible de sa maman qui, institutrice à Poitiers, considérait comme indécente et méprisable toute emplette ne relevant pas d'une stricte nécessité. Je plaignais à l'avance Pierrot en pensant combien facilement nos filles auraient barre sur son amour-propre.

Qu'elles soient difficiles à table, exigeantes, voilà déjà qui l'émerveille, pensais-je, irritée, tout en pressant la serpillère au-dessus du lavabo, et devant elles il est gêné de se régaler d'un bout de camembert.

Cette complicité qu'il me supposait avec sa maman, alors qu'elle et moi exprimions simplement l'opinion commune, raisonnable, et qu'il s'essayait laborieusement à la démesure, entrait pour une part, je le sentais, dans son antipathie à mon égard, bien qu'il ne l'éprouvât pas envers elle. Il excusait sa maman pour ses idées mesquines et arriérées, mais que j'eusse à peu près les mêmes au sujet de la prodigalité, moi qui avais suivi, comme lui, des études de commerce, avais travaillé ensuite, comme lui, dans une banque, Pierrot le voyait comme la manœuvre destinée à l'humilier, à l'empêcher de s'élever en rappelant toujours, par un environnement modeste, d'où nous venions. Il redoutait que si, un jour, quelque client du Garden-Club venait prendre l'apéritif à la maison, il se rendît compte immédiatement que Pierrot n'était pas la sommité distinguée qu'il voulait donner l'impression d'être, sans comprendre que ses fonctions au Club, malgré son costume gris perle et son écusson, devaient garantir les visiteurs contre toute tentation de le regarder comme un égal, puisqu'il n'était, après tout, qu'une espèce de représentant. Maintenant, Pierrot était parvenu au point de me détester quand il me surprenait dans une activité dont les dames du Club, pensait-il, devaient même ignorer qu'on pût s'y livrer, comme d'éponger le pipi du petit Steve, aussi étais-je bien soulagée d'en avoir fini avec cette corvée avant son retour, car j'étais fatiguée des diatribes scandalisées de mon mari. Je me disais parfois que son propre épuisement alimentait sa hargne, son mécontentement têtu et nébuleux dès qu'il mettait le pied dans la maison, où il semblait toujours vaguement être en exil, ou débarqué par hasard dans un hôtel un peu minable dont il n'arrivait pas à s'échapper pour d'incompréhensibles et d'irritantes raisons, ce qui m'amenait à songer que je devrais le convaincre de travailler moins. Mais je savais qu'il ne m'estimait plus assez pour m'écouter sur quoi que ce fût à présent. Il me soupçonnerait certainement encore de me liguer avec sa maman contre lui, puisqu'elle avait toujours manifesté

33

qu'elle n'avait guère de respect pour ce qu'il faisait, l'accusant d'embobeliner de pauvres naïfs. Sa maman aurait voulu que Pierrot devînt professeur, mais lui, alors, convoitait davantage, voulait vivre déjà sur un grand pied, comme Maud et Lise, toutes jeunes qu'elles fussent, ambitionnaient de vivre plus tard plus somptueusement que nous ne le faisions, quand même elles obtenaient de Pierrot à peu près tout ce qu'elles désiraient.

Ainsi Pierrot n'était pas devenu professeur, mais un excellent commercial éreinté, et je ne pouvais, moi, plus rien pour lui. Maud et Lise profitaient de sa réussite, mais ni sa maman ni ses filles ne l'admiraient, moi je le fâchais et le dégoûtais. Que pouvais-je faire ? Je tenais la maison, n'ayant pas trouvé de travail dans notre petite ville depuis deux ans que nous étions là, je regardais grandir Maud et Lise avec perplexité, et j'éprouvais mes malheureux pouvoirs de sorcière un peu ratée, voyant ici ou là des ébauches d'avenir qui ne pouvaient que me tracasser sans m'apprendre grand-chose.

Ce que j'avais fait de meilleur depuis longtemps, me dis-je en sortant étendre la serpillère sur la terrasse, avait été d'initier Maud et Lise. Et je songeais alors que j'en préviendrais ma mère dès le lendemain, malgré ce que je connaissais de sa honte et de son embarras dès qu'il était question de notre don.

La nuit d'avril était froide et brumeuse, les

petites rues du lotissement parfaitement vides, les arbres aux feuilles rouges, plantés sur le trottoir devant chaque maison avec une rigoureuse équité, si chétifs encore qu'il semblait improbable qu'on fût toujours vivant lorsqu'ils seraient seulement un peu moins ridicules, et c'était là une pensée décourageante pour qui s'installait dans un endroit par ailleurs dénué de toute végétation inutile, non conventionnellement décorative.

J'essuyai mes mains mouillées sur mes hanches, puis j'entendis arriver notre voiture. La crainte que j'avais éprouvée tout à l'heure en songeant au retour de Pierrot me reprit, et je me mis à espérer qu'il ne s'apercevrait de rien, en ce qui concernait Maud et Lise, susceptible de l'écœurer et d'attiser son hostilité.

Mais pourquoi diable avais-je peur de Pierrot ? me demandai-je pour la énième fois, agacée de ma frilosité. Il n'avait, après tout, jamais porté la main sur qui que ce fût.

Ce soir-là, pour la première fois, Pierrot ne rentrait pas seul. Un homme le suivait, descendu de la place du passager, grelottant dans sa petite veste de printemps, et mon mari le présenta ainsi :

– Voici monsieur Matin, un ancien client du Club, il va dîner avec nous et peut-être aussi dormir à la maison.

Pierrot avait l'air sévère et un peu troublé, et, comme il passa devant moi en évitant de me regarder, oubliant même de s'effacer devant monsieur Matin, je crus comprendre, avec stupéfaction, qu'il était embarrassé de m'imposer cet invité à l'impromptu. Quant à moi, j'avais gardé mes jeans et mes pantoufles. Alors je fus saisie d'une sorte d'enthousiasme en pensant que je n'affronterais pas Pierrot directement ce soir, que la présence d'un hôte l'empêcherait de me faire des reproches et même de se montrer par trop maussade, et je filai jusqu'à la cuisine, laissant mon mari conduire monsieur Matin au salon, j'éteignis la télévision et soufflai à Maud et Lise d'une voix précipitée :

– Courez chercher trois pizzas chez Isabelle, dites-lui que c'est urgent.

Isabelle se vantait souvent que son congélateur fût toujours plein à craquer de pizzas de toutes les marques et de tous les goûts, car il ne fallait pas compter sur elle pour jouer à la bonne petite maman au point de cuisiner et de servir autre chose que des pizzas surgelées à ce petit crampon de Steve et ce bonnet de nuit qu'était son père, qui d'ailleurs, ces deux abrutis, ne se plaignaient de rien et avalaient leurs pizzas comme s'ils n'avaient jamais rien mangé de meilleur, alors pourquoi se donnerait-elle du mal, etc.

Je glissai pour Isabelle un billet de cinquante francs dans la main de Lise, puis j'apportai la bouteille de martini au salon. Monsieur Matin et Pierrot, assis face à face dans les gros fauteuils de cuir choisis récemment par mon mari, se tenaient silencieux, tout nimbés d'une atmosphère de gravité, se ressemblant un peu avec leur costume gris et leurs cheveux coupés court et net. Cependant monsieur Matin semblait plus détendu et plus à l'aise que Pierrot, et sur son visage lisse, frais, bien rasé, une expression de dignité, de satisfaction un peu douloureuse, contrastait péniblement, trouvai-je, avec le regard tracassé de Pierrot, son brusque manque d'assurance. Leurs mocassins à tous deux brillaient pareillement, et leurs chevilles pâles et minces sortaient sagement des chaussettes semblables à motifs de losanges, roses pour mon mari, vert tendre pour monsieur Matin.

– Les filles sont allées chercher des pizzas, dis-je avec enjouement. Vous n'avez rien contre les pizzas, monsieur Matin ?

– Monsieur Matin vient de quitter son foyer, dit alors Pierrot, solennel.

Subitement gênée, je m'assis à mon tour et dissimulai mes chaussons sous le fauteuil. La crainte m'envahit de nouveau, et j'eus envie soudain de voir partir monsieur Matin. Mais je portai sur lui un regard poli, attentif, tandis qu'il accentuait d'un petit mouvement du menton son attitude chaste et apaisée, noblement souffrante. Et à considérer, face au calme monsieur Matin, l'agitation de mon mari, on eût pu croire que c'était Pierrot qui venait de larguer les amarres, comme si, tout d'un coup, monsieur Matin avait pris possession de notre salon tout neuf, de toute notre maison qui tendait si difficilement au luxe bourgeois.

Sans me regarder, Pierrot reprit la parole :

– Cet après-midi, donc, monsieur Matin a quitté son épouse et son fils, et il est venu se reposer au Club, puis je lui ai proposé de venir dormir à la maison plutôt qu'à l'hôtel pour sa première nuit loin de chez lui. Monsieur Matin veut prendre un studio en ville. Voilà.

– Allez-vous téléphoner à votre femme ? demandai-je, désorientée.

– Pourquoi veux-tu qu'il lui téléphone, puisqu'il vient de la quitter ? dit Pierrot avec impatience. Puisqu'il vient de lui signifier que, justement, il n'a plus envie de la voir chaque jour, de lui parler chaque jour ? Pourquoi veux-tu donc qu'il lui téléphone ?

Maintenant Pierrot me fixait de ses yeux colé-reux, penché en avant sur son fauteuil, genoux écartés, installé là, toujours affublé de sa veste du Garden-Club, en invité plutôt qu'en hôte, et, tandis que je songeais qu'il n'avait pas de raison apparente pour s'irriter ainsi contre moi au sujet de monsieur Matin et de sa femme, je remarquai qu'il ne détournait quelques secondes son regard de monsieur Matin que pour le reporter plus intensément sur ce dernier, qui, lui, acceptait cette extrême et muette attention, cet embarras-sant, excessif témoignage d'intérêt, avec l'aplomb tranquille de qui ne doute pas de son mérite.

Pierrot ne bougea pas même lorsque Maud et Lise entrèrent dans la pièce, ne se leva pas pour les embrasser, feignit de ne pas les voir. Isabelle était là également, revenue sous le prétexte que je lui devais encore quatorze francs sur les pizzas, en vérité, compris-je tout de suite, pour jeter un œil sur notre invité. Campée au milieu du salon, elle l'inspecta rapidement des pieds à la tête, puis, ce devoir accompli, sortit sans un mot, posement, un peu contrariée sans doute de n'être pas rappelée, mais comme affaiblie dans sa toute-puissance de n'avoir pas à son côté le vulnérable petit Steve. Monsieur Matin flatta gentiment Maud et Lise.

– Quelle jolie paire de perruches, dit-il en leur tapotant la tête.

Je priai Pierrot de servir un verre à monsieur Matin, puis j'allai faire chauffer les pizzas, me demandant pourquoi mon mari était à ce point fasciné par la personne de monsieur Matin, qui lui ressemblait tant.

Tout au long du dîner, par la suite, alors qu'il m'apparaissait de plus en plus clairement que cet homme n'avait rien que de très banal, et que, d'agréables et décents petits messieurs dans son genre, Pierrot en rencontrait sans doute à la pelle au Garden-Club, monsieur Matin ne cessa d'inspirer à mon mari, puis même à Maud et Lise, une curiosité pleine de trouble et de respect, au point qu'il devint bientôt évident que d'avoir quitté sa femme et son petit garçon transformait monsieur Matin en héros pour mon mari, qui, sinon, ne se fût pas mépris sur cet individu ennuyeux.

Installés autour de la longue table de la salle à manger, jamais utilisée d'ordinaire, nous découpions avec peine les pizzas sèches et dures d'Isabelle, monsieur Matin attrapait sa part de ses deux mains et mordait dedans avec de gros efforts pour dissimuler son appétit, il exagérait alors son air lointain, pieux et légèrement dégoûté. Et Pierrot, lui, ne mangeait rien, seulement occupé à questionner monsieur Matin sur son mariage. A la plus plate réponse que lui donnait l'autre, il répondait par de sentencieux : « Je vois, je vois », ou par de petits cris d'admiration tellement hors de propos que monsieur Matin se voyait contraint de poser son morceau de pizza, d'essuyer ses lèvres barbouillées de tomate et d'expliquer à mon mari qu'il n'avait pas agi de manière spectaculaire, ce à quoi Pierrot protestait aussitôt avec la sincérité la plus désarmante.

– Pourquoi êtes-vous parti, monsieur Matin ? demanda Lise.

Influencées par l'ardeur de Pierrot, qu'elles n'avaient encore jamais vu aussi enthousiaste, aussi vibrant d'émotion tendue, presque artistique, nos deux filles étaient maintenant conquises, à leur tour, par la certitude, qui flottait autour de la table des grands jours comme quelque révélation, de la bravoure de monsieur

Matin. Elles délaissèrent bientôt leur assiette pour le regarder manger et parler, et mon cœur se serrait de voir leur fier petit visage respectueusement incliné vers la face lisse et pâle, aux lèvres gonflées de satisfaction, de ce grand homme qu'était brusquement devenu monsieur Matin.

– Le petit n'en a que pour sa mère, expliquait-il, depuis le début il en est toujours allé ainsi, quoi que je fasse, ça ne lui convient pas, ce n'est que Maman, Maman, il ne peut s'endormir qu'avec Maman, se réveiller, manger, qu'avec Maman, c'est comme si je n'existais pas, c'est bien simple, je ne suis bon qu'à conduire la voiture, qu'à rapporter de l'argent, est-ce qu'un homme peut accepter de vivre longtemps comme ça de nos jours ? Le soir, sa mère le prend avec elle dans le canapé, au lieu d'aller le coucher dans son lit d'enfant, de lui dire bonne nuit et de fermer la porte, elle le prend sur ses genoux comme un gros bébé, comme un gros chat, elle le caresse, et ils finissent par s'endormir tous les deux, à côté de moi qui me tourne les pouces dans le fauteuil, et c'est moi qui dois ensuite les réveiller, porter l'animal dans sa chambre, il hurle et me bourre de coups de patte, c'est à peine si je peux le tenir, et je dois le laisser faire, sourire, murmurer des mots apaisants, tandis que Maman se garde bien d'intervenir, Maman va tranquillement se doucher et se parfumer, puis elle revient et d'un mot, d'un

41

seul, elle apaise le petit qui feulait encore rien qu'à me voir. Peut-on me demander honnêtement de supporter une telle situation ? Pour quelle raison, honnêtement, devrais-je tolérer de n'être rien du tout à la maison, pour la maman comme pour le... cette créature, en vérité moins que n'importe quelle bête domestique ? Que penses-tu d'une telle situation, toi, Pierrot ?

Et monsieur Matin s'empara prestement du dernier morceau de pizza qui restait sur le plat, l'entama à pleines dents, avec une sorte de rancune rageuse, comme s'il avait eu entre les mains un bout de chair de la maman ou de l'enfant.

– Évidemment, tu as bien fait de partir, déclara Pierrot.

Je compris alors que mon mari était dévoré de jalousie. Il enviait monsieur Matin et peinait de plus en plus à cacher son sentiment. Pour venir en aide à Pierrot, j'ordonnai à monsieur Matin, d'une voix sans appel, de téléphoner sur-le-champ à sa femme, puis aussitôt je me levai et allai chercher le petit téléphone de Pierrot que je tendis à monsieur Matin.

– Dites-lui simplement que vous êtes chez nous et qu'elle ne s'inquiète pas.

– Bien, si vous y tenez, fit monsieur Matin, courtois.

Son visage s'était enflammé pendant le repas, si rouge et si boursoufflé maintenant qu'il jurait de façon pénible avec le calme de son attitude. Il composa le numéro tandis que nous le regardions en silence. Pierrot, soudain de mauvaise humeur, avait les sourcils froncés, comme mécontent de monsieur Matin lui-même. Il ne ressemblait plus guère à ce dernier, dont la figure s'était brutalement bouffie et décomposée, mais retrouvait peu à peu l'assurance furieuse, impatiente, qui était la sienne quand il rentrait du Garden-Club.

Monsieur Matin fit mine d'écouter une sonnerie prolongée, puis il masqua le récepteur de sa main et souffla :

– Personne.

Une telle appréhension brillait dans son œil larmoyant que je saisis le téléphone, après un coup d'œil sévère à monsieur Matin pour le dissuader d'intervenir.

– Allô, allô, faisait une voix au bout du fil, agacée.

Je me présentai comme la femme de Pierrot, puis :

– Bon, je ne connais pas de Pierrot, dit Madame Matin, mais je suppose que mon mari est chez vous et que c'est encore lui qui vient d'appeler sans oser parler. C'est ce qu'il fait à chaque fois qu'il lève le camp, voyez-vous. Je présume aussi qu'il s'est débrouillé pour ne pas prendre sa voiture, afin qu'on vienne le chercher, Nounou et moi. Dites-lui bien que c'est la dernière fois qu'on le fait.

– Elle veut venir vous chercher, dis-je à monsieur Matin.

43

Il me fit signe d'acquiescer à tout ce qu'elle voudrait, puis se prit la tête entre les mains d'un geste un peu affecté. Je donnai alors notre adresse à madame Matin, qui raccrocha brusquement.

– Qui est Nounou ? demandai-je pour rompre le silence.

– C'est le petit, c'est cette petite bête qui me déteste, s'écria monsieur Matin en repoussant brutalement sa chaise dont les pieds crissèrent sur notre carrelage neuf, flammé et poli.

Je vis Pierrot réprimer une grimace d'irritation. Il semblait maintenant décidé à demeurer muet, et la soudaine roideur de son buste, la contraction de sa mâchoire, ainsi qu'une imperceptible lueur de froide politesse professionnelle qui donnait à son regard un éclat distant, hautain, m'indiquaient précisément qu'il avait cessé d'avoir pour monsieur Matin des sentiments autres que ceux qu'il éprouvait pour n'importe lequel de ses clients, de considération systématique et impersonnelle pour leur aisance financière. Maud et Lise ne semblaient guère plus intéressées par l'actuel monsieur Matin. A présent renversées sur leur chaise, jambes écartées, elles le suivaient d'un œil circonspect, déjà vaguement ennuyé.

Il se produisit alors quelque chose qui me surprit et me ravit grandement. Sur la joue gauche de Lise, une petite goutte écarlate coulait lentement, tranquillement, jusqu'au bord de l'oreille, où Lise l'essuya, sans hâte, d'un doigt qu'elle lécha ensuite d'un rapide coup de langue. Pierrot l'avait vue comme moi. Il tourna vivement la tête, feignant l'ignorance, mais sa mâchoire se durcit encore et sa jambe, sous la table, eut un mouvement nerveux, irrépressible.

Je me moquais bien de Pierrot à cet instant. Emue, je me rapprochai doucement de Lise et je l'entendis déclarer à Maud, d'une voix égale :

– On ne jouera pas au basket demain, il va pleuvoir, zut et zut.

Et Maud opina, indifférente, son mince visage au contour limpide à demi tourné vers monsieur Matin (qui arpentait le salon) avec la même expression de froide révérence que celle de Pierrot, peaufinée depuis deux ans au Garden-Club.

J'avais la preuve que Lise, au moins, se servait de son pouvoir, et cela m'enchantait.

Ne pas oublier d'en parler à Maman, me dis-je.

Puis je demandai à monsieur Matin s'il désirait un café.

– Oui, oui, mais vite avant qu'elle n'arrive, fit-il avec un pauvre sourire.

– Ne devrais-je pas offrir un café à votre femme, quand elle sera là ? demandai-je.

– Oh non, surtout pas, elle est déjà tellement irritée, alors si elle se sent coincée, retardée encore, elle m'en voudra affreusement. Et Nounou, lui, ce sera pire, il ne m'adressera pas la parole de toute une semaine, il ne posera même pas les yeux sur moi. Non, je vous en supplie, ne leur proposez pas de prendre un siège, ne leur proposez rien du tout.

– Quel âge a-t-il, ce Nounou, exactement ?

– Oh, trois ou quatre ans, par là, dit monsieur Matin.

Puis, sentant que son histoire avait perdu beaucoup de valeur dans l'esprit exigeant de mon mari, que sa personne même inspirait maintenant à celui-ci une sorte de répulsion, car Pierrot avait éloigné sa chaise le plus possible de monsieur Matin et se penchait en arrière, bras croisés, l'œil plissé, monsieur Matin s'accrocha à moi d'un regard éperdu, douloureux, plein du désir de se justifier. Un peu de tomate demeurait au coin de ses lèvres. Sur son visage insipide de jeune cadre travailleur apparaissaient des taches violacées, dues à la tension et à l'effroi. Et, tandis que j'attendais devant lui, chargée des assiettes sales du dîner, le moment de pouvoir m'éclipser, tout courbé vers moi, vers mes vieux chaussons au bout souillé, monsieur Matin parlait à voix basse, comme ne comptant plus assez sur l'indulgence de Pierrot pour prendre la peine de se faire entendre de lui.

– Comment se fait-il, madame, que dès le début je n'aie pas su m'y prendre avec Nounou ? Pouvez-vous m'expliquer si c'est ma faute, ou bien si la maman a tout manigancé afin de s'assurer l'amour de Nounou pour elle toute seule ? Je n'y comprends rien, je n'ai jamais rien compris au petit, et pourtant j'ai fait effort, mais sans succès, jamais rien de ce que j'ai pu tenter ne m'a apporté une ombre de gratitude ou d'amitié de la part de Nounou. Les cadeaux que je lui fais ne lui conviennent pas, ce que je lui raconte, il ne l'écoute pas, je l'assomme. Et pourtant, quand il était... bébé, combien de fois me suis-je occupé de lui. Oui, je me suis donné du mal, je me suis levé la nuit pour Nounou, tout ce qu'il faut faire de ce point de vue, eh bien, je l'ai fait. La situation est telle maintenant que c'est à peine si j'ose rentrer à la maison, le soir après le bureau. Voyez-vous, il m'arrive de rouler lentement dans le quartier, tout autour de chez nous, de faire six ou sept fois le tour du pâté de maisons avant d'oser rentrer et retrouver Nounou et ma femme, tou-jours ensemble, à rire, à jouer, à se flatter, tou-jours tous les deux, et personne ne me dit bon-jour lorsque j'arrive, ils continuent leurs activités comme s'ils ne m'avaient même pas remarqué, et il me semble que c'est parfois le cas, qu'ils ne me remarquent même pas lorsque je rentre. Alors je ne dis rien, je n'ose plus rien dire en présence de Nounou. D'ailleurs, qu'est-ce que je pourrais bien lui dire ? Je ne sais pas jouer avec lui, j'ignore ce qui l'amuse en dehors de ce qu'il fait avec la maman et qui lui plaît toujours. Quand elle sort faire une course et que je reste seul avec Nounou, je me sens vite tellement mal à l'aise, tellement gauche, observé et détesté, que je monte dans notre chambre pour respirer, car je ne respire plus, je suffoque quand je suis seul devant le petit. Et ma femme m'asticote, elle prétend que je ne suis pas un maître pour Nounou, mais ne s'est-elle pas débrouillée pour qu'il en soit ainsi ? Maintenant, je les crains tous les deux, je ne suis rien devant eux, je suis à peine une ombre, mais une ombre encore légèrement gênante, voilà pourquoi je pars. Pourquoi m'avez-vous forcé à téléphoner, madame ? Si vous ne m'aviez pas mis ce téléphone entre les mains, si vous n'aviez rien dit à ma femme, nous n'en serions pas là, elle se sentant obligée de venir me chercher, mais très en colère de devoir le faire, et moi, moi...

– Il me semblait simplement que vous ne deviez pas les abandonner, murmurai-je, embarrassée.

– Oui, mais enfin, qu'en saviez-vous ?

La sonnette retentit. Monsieur Matin m'adressa un petit sourire résigné et poli pour me signifier que je pouvais disposer, et je glissai sur mes chaussons vers la porte d'entrée, calant la pile d'assiettes sur ma hanche, ouvrant de l'autre main les deux verrous de sécurité et soulevant l'entrebâilleur que nous abaissions automatiquement, comme le faisaient tous les habitants du lotissement, dès que nous entrions dans la maison.

Madame Matin était là, prête à sonner de nouveau, impatiente, coquette et gracieuse, en

48

compagnie d'un curieux garçon aux yeux jaunes, d'une bonne douzaine d'années, qui la dépassait d'une tête. Elle me salua d'un sourire sec et refusa d'entrer, déclarant qu'elle attendrait son mari ici même, sur le seuil, dans le froid piquant de cette nuit d'avril où il les avait contraints de se lancer, Nounou et elle.

– Ah, c'est Nounou ? demandai-je bêtement. Je le croyais plus jeune.

– Mon mari s'obstine à ne pas le voir grandir, dit madame Matin avec agacement. Alors, va-t-il venir, oui, ou est-ce qu'il s'imagine que nous allons rester là toute la nuit ?

– Bon, je vais le chercher, il n'aura pas eu son café, dis-je, impressionnée malgré moi par l'élégance voyante de madame Matin, par la manière impérieuse et machinale dont elle avait posé ses doigts aux ongles rouges sur la manche du grand Nounou, pour l'empêcher d'entrer comme je les en avais priés.

Je fis un détour par la cuisine afin d'y déposer les assiettes, puis je revins lentement au salon et, jetant un regard vers la porte ouverte, j'aperçus, derrière Nounou et madame Matin, Isabelle qui passait devant notre portail, tirant le petit Steve. Elle marchait avec une décontraction affectée, les yeux fixés sur notre maison.

Elle a vu arriver, de sa fenêtre, la voiture de madame Matin, pensai-je, elle s'est précipitée dehors pour essayer de comprendre ce que nous fabriquons.

Monsieur Matin n'était plus au salon. Seul Pierrot se trouvait toujours là, maussade, distant.

– Où est-il ? Où sont les filles ? lui demandai-je, fatiguée.

– Maud et Lise sont montées se coucher, dit Pierrot d'une voix détachée.

– Et lui ?

– Qui, lui ?

Alors, remarquant qu'elle battait, je m'approchai de la porte-fenêtre, je l'ouvris et scrutai notre jardin. Là-bas, monsieur Matin enjambait la haie, difficilement, sa mince veste de printemps vert pâle secouée par le vent. Il sauta dans le jardin des voisins, galopa, et je le perdis de vue.

– Je crois bien qu'il s'est enfui, dis-je, une fois revenue dans l'entrée, à madame Matin.

Une rougeur intense envahit ses joues. Elle enveloppa de son bras les épaules de Nounou et lança, sur un ton faussement enjoué :

– Alors nous allons l'attendre à la maison, hein, fils ?

Deux jours après notre dîner en compagnie de monsieur Matin, et alors que Pierrot, plus sec et renfermé que jamais, s'était maniaquement attaché à n'évoquer ni le nom de monsieur Matin ni ce qu'il n'avait pu manquer de constater au sujet de Maud et Lise, qui maintenant, en toute sérénité, pleuraient de belles larmes de sang qu'elles ne dissimulaient pas, attablées dans la cuisine, devant la télévision, et se transmettaient aussitôt, d'une voix paisible, les informations pratiques en quête desquelles il me semblait qu'elles utilisaient leur nouveau don exclusivement, deux jours après la fuite de monsieur Matin, Pierrot ne rentra pas. Je songeai d'abord que le Club l'avait retenu pour une séance de stimulation en groupe, ainsi qu'il s'en pratiquait régulièrement afin d'exciter chez les vendeurs le sens de la rivalité.

Puis, tard dans la soirée, mon mari toujours absent, je dirigeai sur lui, par acquis de conscience, mon regard particulier et médiocre. Et ce que je discernai alors me fit aussitôt comprendre que je ne reverrais certes pas Pierrot le lendemain, ni peut-être de sitôt. Son visage dur, insatisfait, rancunier, aux lignes précises et sans mélancolie, se détachait nettement sur le fond plus vague, ensoleillé, d'un ciel léger : derrière l'épaule de Pierrot, les deux tours de la cathédrale de Poitiers se haussaient comme voulant s'assurer que je ne les manquerais pas.

S'il est à Poitiers, me dis-je, il ne peut qu'être chez sa maman.

Je tombai dans un état de profonde stupéfaction. Comment Pierrot, que sa maman exaspérait et mortifiait, avait-il pu retourner chez elle, dans la petite maison de ville confite et grisâtre où habitait également ma jeune belle-sœur, Lili ? Le père de Pierrot, instituteur, était mort depuis longtemps, et le bref souvenir que je gardais de notre dernière visite à Poitiers, six ans auparavant, était celui d'une pesante atmosphère d'ordre et de ménages tatillons, à peine troublée par les allées et venues de l'adolescente sans grâce, morne et dodue, Lili, ainsi que de l'accablement qui avait saisi mon mari à revoir identiquement conservés les meubles, objets, tapis de son enfance, pour lui si chiches et si laids.

Que peut-il donc faire à Poitiers, chez son ennuyeuse maman ? me demandai-je encore, sans percevoir le moindre élément de réponse.

Et je me sentais, ce premier soir, très détendue à l'idée de passer au moins quelques jours loin de mon mari, qui me soûlait de récriminations plus ou moins exprimées.

Je retrouvai Maud et Lise à la cuisine, devant la télévision;

– Votre père est parti à Poitiers, dis-je.

Elles eurent ensemble le même rictus de dégoût.

– Berk, fit Maud, chez grand-mère, avec cette grosse Lili, il va s'amuser, merci bien.

– Plutôt crever sur place que d'aller à Poitiers, renchérit Lise dans un délicat, adorable mouvement de son petit menton obstiné, qui me fit battre le cœur et aviva mon amour pour mes filles pourtant déconcertantes comme les pèlerines d'un autre siècle.

– Il ne comptait pas que nous partions avec lui, ajoutai-je, hésitante.

Puis :

52

– Il va peut-être rester assez longtemps là-bas.

– Tiens, dirent-elles calmement.

– Il s'est fait la malle, c'est ça ? demanda Lise avec patience.

– Oh, je ne sais pas, je ne sais rien encore.

– Si tu ne sais rien, c'est qu'il a pris le large. Ça se passe toujours comme ça, conclut Maud.

La connaissance des comportements humains que mes filles acquéraient, non dans les livres (elles ne lisaient que des magazines) mais grâce aux films ou feuilletons télévisés, était si fruste, internationale et standardisée qu'elle avait une efficacité certaine dans les situations très communes comme celle-ci. Elles discutèrent un peu de savoir, comme de la publicité passait sur l'écran, si leur père avait conduit jusqu'à Poitiers, ou s'il s'était rendu à Paris pour prendre le Train à Grande Vitesse, puis elles interrompirent d'un coup ces spéculations pratiques pour suivre leur programme du soir. Je constatai avec soulagement qu'elles ne semblaient pas plus émues que si ces faits de leur existence concernaient les personnes qu'elles regardaient maintenant, dans un silence attentif, raconter leurs propres malheurs, dans cette émission de confidences et d'épanchements qu'elles affectionnaient.

– Tout ira bien, dis-je encore, fort inutilement, à mes filles captivées.

Mais ne devait-on pas consoler ses enfants du départ de leur père, les rassurer et les chérir davantage encore ? Il me semblait toujours que Maud et Lise vivaient en permanence dans un monde hypothétique et lointain, celui de leur gloire future, où les incidents du présent n'avaient pas leur place, devaient être considérés avec détachement ou mépris et balayés efficacement d'un joli geste volontaire.

Le lendemain matin, je descendis à pied au centre de notre petite ville. Après le lotissement s'étendait une zone incertaine d'entrepôts tôlés, de supermarchés et de magasins hétéroclites devant lesquels, sachant qu'Isabelle aimait y passer ses matinées quand Steve était à l'école et qu'elle ne savait trop que faire, je marchai le plus rapidement possible. Il faisait sombre et froid, et j'avançais en tenant serré le col de mon imperméable. Soudain Isabelle fut devant moi, surgie de sa grosse Renault toute neuve d'un gris métallique et distingué. Elle avait cet air désorienté et grognon, légèrement agressif, ennuyé, qui lui venait en l'absence du petit garçon, lorsque, par excès de désœuvrement, elle traînait dans ces magasins bon marché, trop sauvagement timide, malgré sa brutalité, pour se hasarder loin de ce quartier qu'elle connaissait bien et oser pénétrer dans les boutiques du centre, où elle aurait eu largement de quoi acheter ce qui lui plaisait, où sa voiture aurait été remarquée comme l'une des plus chères et des plus belles (Isabelle elle-même, c'était sa science, connaissait le prix des modèles récents de toutes les marques), mais où,

54

lui semblait-il probablement, la rudesse massive et tyrannique qui asseyait son règne chez nous autres, exilés de toutes provinces, la désignait comme une parvenue, sans éducation et ignorante des codes.

– Où est passé Pierrot ? me demanda-t-elle d'une voix rogue, méfiante. Je n'ai pas vu sa voiture et la porte de votre garage est restée ouverte.

– Il est parti voir sa mère, à Poitiers.

– Hum, marmonna Isabelle avec suspicion.

Puis elle remonta dans sa voiture, n'offrant pas de me conduire comme elle ne quittait jamais les pourtours de la ville, et démarrant d'un bond, tournant rapidement un peu plus loin en dédaignant une priorité, fière qu'elle était de ne tenir compte, au volant, que de ses propres lois.

Je coupai par le parking d'un grand magasin de meubles, traversai un quartier de vieilles maisons aux murs pelés, abandonnées quelques années auparavant, habitées de nouveau, depuis peu, par des familles émigrées de contrées que le Garden-Club proposait souvent à ses clients pour leur semaine de rêve.

– Bonjour, ma sœur, dit gravement, en me croisant, une femme au long vêtement jaune.

Elle se glissa dans une maison dont le crépi tombé par plaques montrait les pans de bois pourris d'humidité. Notre pavillon du lotissement, là-bas, loin derrière les hangars et les grandes surfaces de bric-à-brac, me parut alors proscrit, confiné ridiculement dans une retraite confortable et funèbre dont Isabelle elle-même, ma véritable sœur, ne sortait pas, tournant et retournant le long de murs invisibles dans sa luxueuse voiture faite pour engloutir des routes sans fin, ou l'arpentant dans ses chaussures de course rebondissantes qui lui donnaient l'air, bien qu'elle fût lourde, de s'apprêter toujours à l'envol.

– Bonjour, ma sœur, répondis-je, troublée.

Le vêtement jaune repassa fugitivement derrière la vitre brisée d'une petite fenêtre, au premier étage. J'entendis une voix vive et gaie, puis un grand rire de fillette. Plus haut, du linge mis à sécher dégouttait négligemment sur la façade noircie de fumée et de crasse.

J'attendis un instant devant la porte, frissonnant dans mon imperméable, espérant vaguement je ne savais quoi – que la femme ressorte, qu'elle m'apostrophe encore de cette manière si agréable, sûre d'elle et désintéressée ? Pouvait-elle être, cette étrangère, ma sœur d'une façon ou d'une autre, et comment le savait-elle ?

Comme une petite pluie se mettait à tomber, je me remis en route, soudain navrée. Des enfants trop peu couverts me fixaient sévèrement, assis sous un porche croulant. Maud et Lise, mes filles, avaient de beaux yeux effilés mais remplis d'une énergie froide, d'une intelligence calculatrice, et, il me fallait le reconnaître, elles avaient le cœur sec, capable seulement de lamentations sentimentales, occasionnelles, vite endiguées, sur quelques misères entraperçues par inadvertance entre deux émissions.

Pourrai-je longtemps, me demandai-je encore, accuser le Garden-Club d'avoir corrompu mes deux filles ?

Arrivée au centre-ville, je me rendis à la banque, car, depuis la veille, je soupçonnais que Pierrot avait songé à se munir d'argent et je voulais savoir combien il avait emporté. Ce que j'avais craint me fut confirmé. Pierrot n'avait pas touché à notre compte courant mais il avait vidé le compte d'épargne des cent vingt mille francs que m'avait donnés récemment mon père, tout frais promu dans la compagnie d'assurances où il travaillait depuis trente ans. Quelques jours avant notre dîner avec monsieur Matin, Pierrot avait fait virer cet argent sur le compte courant, puis, la veille de son départ, il était venu retirer cette somme exacte, me laissant quelques milliers de francs.

Pierrot songeait donc à filer avant d'avoir entendu monsieur Matin, me dis-je. Mais pourquoi est-il retourné à Poitiers, chez son insupportable maman ?

Je quittai la banque, abasourdie, et repris le chemin de la maison sous une pluie battante. Je profitai ensuite de l'absence de Maud et Lise, encore à l'école, pour téléphoner à Poitiers.

– Oui, c'est qui ? cria, au bout du fil, une voix que je ne reconnus pas.

– C'est Lucie, murmurai-je. Est-ce que c'est Lili ?

C'était bien Lili, la sœur de Pierrot, mais, alors que je me rappelais une toute jeune fille maussade, au débit triste et lent, à la voix toute empêtrée de gaucherie et de honte, cette nouvelle Lili parlait avec une surprenante assurance et des roucoulements de gorge que je ne lui avais jamais entendus.

Elle doit avoir maintenant dix-neuf ans, pensai-je, dans un léger pincement de cœur.

Je me retins de lui demander quels étaient son allure et son visage à présent, assortis à cette voix toute neuve de gracieuse conquérante, et, comme je m'enquérais de Pierrot, Lili s'exclama :

– Oh, là, je te passe Maman !

Et elle ne put s'empêcher de rire, par habitude semblait-il, d'un petit rire affecté, sans joie, de spécialiste, charmant cependant. La métamorphose de Lili m'intriguait tant que j'en parlai tout de suite à la maman.

– Si tu voyais, souffla-t-elle, ma Lili est devenue énorme, absolument énorme. Elle a tellement grossi, tiens, que j'ai dû changer son petit lit, tu sais, son lit de métal à boules dorées, pour un lit à deux places, un vrai lit conjugal, tu te rends compte ? Comme elle est grosse maintenant ! Pierrot n'en revenait pas.

– Lili avait l'air gai au téléphone, insistai-je.

– Oui, pourquoi pas ? Oui, oui, je pense bien

qu'elle est gaie, elle a des idées en tête, tu sais, elle perd des heures chaque jour à se maquiller, à s'apprêter, à se pomponner. Elle n'a pas vingt ans et elle se teint les cheveux ! Des faux cils, du vernis, je ne sais quoi encore. Je ne dis rien car elle se fâcherait, elle se fâche vite maintenant, mais elle est scandaleuse à regarder, grosse comme elle est et peinte comme ça. Elle peut bien être gaie, tiens, ce n'est pas ça qui me dérange, qu'elle soit gaie.

– Et que fait Lili, Maman ?

– Mais rien, rien, ma pauvre fille. Elle ne veut pas être institutrice, elle ne veut pas suivre le chemin de sa maman et, je peux bien te le dire, le travail ne l'intéresse pas. Elle a ses idées sur la question, bon. Mais quelles sont ces idées, tu sais, je redoute de l'apprendre, je redoute que ma Lili soit sans scrupules, sans morale, malgré ce que j'ai pu, moi, essayer de lui mettre dans la tête.

Sa voix s'altéra ; je compris que la maman pleurnichait. Embarrassée, car j'avais de l'affection pour elle, je restai silencieuse. Elle continua, reniflant :

– Vous êtes tous si loin, et je me sens parfois si démunie pour comprendre ce genre de choses. Que s'est-il passé avec Lili ? Pourquoi est-elle devenue si grosse et si audacieuse, si brutale ? Elle qui était...

– Maman, il me semble que vous avez Pierrot avec vous, maintenant.

59

– Oui, il a pris quelques jours de vacances, n'est-ce pas. Mais je ne peux pas lui parler, il ne sort pas de sa chambre, d'ailleurs il est à peine aimable, je l'ai trouvé changé, tu sais.

– Puis-je lui parler ?

– Oh non ! (Elle souffla :) Il ne veut qu'on le dérange à aucun prix. Il s'est enfermé dans sa chambre de petit garçon, avec sa drôle de longue figure, et il n'en est sorti que dix minutes, ce matin, pour avaler un café et demander où était Lili – moi, je ne lui demande plus où elle va – et pourquoi elle est devenue si grosse. Lui qui ne s'est pas soucié de Lili pendant des années, voilà qu'il pose mille questions à son sujet. Et que veux-tu que je lui réponde ? Lili va et vient, elle ne travaille pas mais elle a de l'argent pour ses nippes et ses peintures. De l'argent, je ne lui en donne pas, il faut donc bien qu'elle le trouve quelque part. Que voulais-tu que je lui dise ? Lili est une ambitieuse, voilà tout. S'il s'était mieux occupé d'elle, nous n'en serions peut-être pas là, n'est-ce pas.

– Maman, Pierrot a emporté, en liquide, cent vingt mille francs que m'avait donnés mon père. Vous en a-t-il parlé ?

– Cent vingt mille ? Tu veux dire douze millions ? Comment ton père a-t-il pu t'offrir une somme pareille ? s'écria la maman sur un ton horrifié. Et pour quoi faire ? Tu n'as pas assez avec Pierrot et ses escrocs du Club ?

– C'est une sorte d'avance sur héritage, expli-

60

quai-je, l'esprit ailleurs, tourné vers Lili. Mon père vient d'être nommé directeur, voilà, mais Pierrot n'était pas censé empocher l'argent de cette manière.

– C'est ton mari, que je sache, dit-elle sévèrement.

– Parlez-lui de l'argent, Maman, je vous en prie, qu'au moins il y fasse attention.

– Je ne peux lui parler de rien, ma pauvre.

Elle murmura, la voix mouillée :

– Il n'y a rien que je puisse encore dire à mes propres enfants, ils ne m'écoutent pas et me font peur. Ils me parlent durement, ils m'ordonnent de me taire, même Lili, sous ses apparences sucrées, n'hésite pas à m'envoyer promener. Tout ce que je sais, tout ce que j'ai lu, ils s'en moquent. Il n'y a qu'à toi que je puisse parler, Lucie.

– S'il vous plaît, Maman, prévenez-moi quand Pierrot s'en ira.

– Et tes filles, quand vont-elles venir me voir ? Mais elles ne se plaisent pas, chez moi, à Poitiers, hein ? Elles sont de la même race que Pierrot et Lili, deux petites machines volontaires, sans pitié.

– Bientôt, Maman, bientôt, mentis-je, chagrinée de l'entendre larmoyer de nouveau, la maman qui, dans mon souvenir, ne se plaignait jamais, seulement agaçante et radoteuse.

– Avec mes deux enfants à la maison, dit-elle encore, je me sens plus solitaire que si j'étais seule. Comment en est-on arrivé là, le sais-tu, toi ? A qui la faute ? Est-ce de ma faute ? J'ai pourtant toujours...

– Je vous rappellerai, Maman. Au revoir, au revoir.

Sitôt raccroché, je dirigeai mon regard sur Lili, car ce que m'avait confié à son propos la maman curieusement découragée et tremblotante m'intriguait de manière désagréable, irritante. A Pierrot et à moi-même, sa maman fixée dans un triste petit trou du lointain Poitiers, dans une rue modeste bordée de trous semblables d'où émergeait parfois la figure suspicieuse de retraités étroits et proprets, sa maman qui avait fait l'Ecole normale, était toujours apparue comme l'incarnation d'une certaine force raisonneuse, sensée, indestructible, dont Pierrot craignait le bon sens et la finesse d'esprit imprévue, comme les jugements sans réplique. Jamais il ne me serait venu à l'idée, ni à lui, que la maman pût un jour s'avouer démontée, se lamenter au téléphone et baisser la voix de peur d'être entendue de ses enfants.

Les yeux clos, j'aperçus de Lili une petite main grasse et rose, aux doigts étranglés de brillants à deux sous. Elle flottait, seule, poupine, ongles longs et pourpres, dans la pénombre de ma vision, agaçante car c'était le visage de Lili que je brûlais de voir. Je me concentrai plus encore, et la petite main trapue, précise, s'empara d'une cigarette, la ficha entre deux lèvres rose vif au pli un peu mou, ennuyé, puis la vaste face de Lili se montra tout entière à mon œil de sorcière.

Je la contemplai avidement, très étonnée. Je ne reconnaissais en rien, pas au moindre détail, l'adolescente que j'avais vue, six ans auparavant, traîner sa figure assoupie dans les sombres petites pièces de la maison de Poitiers. Le visage abondant et robuste de la nouvelle Lili, maquillé, dessiné non sans talent, ses yeux clairs bordés de noir, toute son expression plaquée sur les traits travaillés avec soin, exhibaient un appétit intraitable, une détermination tenace, froide, appliquée. Ses cheveux, très courts, très noirs, semblaient figés dans une lotion brillante, et ils étincelaient dans la voiture où, manifestement, se trouvait Lili, comme l'émanation éblouissante de sa personnalité toute fraîche.

Comme les années ont passé, me disais-je, désorientée.

Est-ce qu'alors je n'enviais pas un peu Lili ? Et, cependant, qu'avait-elle d'enviable, cette grosse et jeune belle-sœur bien décidée à tenter sa chance à Poitiers ?

Elle appuya sur la pédale d'embrayage un pied chaussé d'une sandale de cuir verni noir à talon haut, un pied comprimé dans les fines lanières entre lesquelles débordait la chair un peu mauve, agrippa le levier de vitesse, démarra. Epuisée, je la perdis de vue.

Isabelle entra à cet instant, se laissa tomber sur une chaise de la cuisine. Jamais elle ne frappait ni ne sonnait à la porte, et elle savait avancer sans bruit sur ses chaussures ailées. Nerveuse comme elle l'était toujours dépossédée du petit Steve, elle montra mon chemisier, eut une moue de dégoût impatient.

– Le sang a giclé jusque là, regarde, tu en es toute barbouillée. Dis donc, je t'ai entendu parler d'argent au téléphone, une fameuse somme, même. C'est à toi, tout ce pognon ?

– Plus ou moins, murmurai-je en me détournant vers l'évier pour rincer mon visage.

Isabelle portait maintenant une combinaison de cycliste rose et noire. GO ON ! marquait ses seins de deux taches fluorescentes. Elle prit l'air rêveur et déclara :

– Si j'avais autant d'argent rien que pour moi, vois-tu, c'est sûr, je m'en irais, et toute seule, ah oui. Je monterais dans ma voiture et au revoir tout le monde.

– Tu laisserais Steve ? demandai-je, surprise.

– Evidemment que je laisserais ce petit corniaud. Que veux-tu que j'en fasse, là où j'irais ? Ce ne serait pas pour m'embarrasser d'un gosse, d'un petit abruti qui me gâche la vie !

Outragée, Isabelle me regardait d'un œil féroce. Je cédai une fois encore à sa toute-puissance et lui souris. Mais, profondément abattue, je compris qu'il me fallait, à présent, trouver secours auprès de mes parents. Une idée s'imposa à ma volonté un peu faible, un peu lâche, et la raffermit.

Deux semaines plus tard, alors que je n'avais toujours aucune nouvelle de Pierrot mais que mes regards souvent portés sur lui me le montraient toujours dans l'ombre de la cathédrale de Poitiers, par conséquent chez sa maman, Maud et Lise furent en vacances. J'avais attendu ce moment avec impatience, ayant décidé d'aller trouver mes parents par surprise, à Paris, où ils habitaient chacun de son côté, et de leur exposer le projet qui s'était soigneusement développé dans mon esprit soucieux pendant ces deux semaines de solitude, jusqu'à prendre l'apparence de la plus absolue nécessité. Le sentiment d'un devoir à remplir, et à faire accomplir par mes parents désunis, m'occupait si fortement que j'en étais agitée au-delà de toute raison.

Après la conversation avec la maman de Pierrot, puis les quelques mots échangés avec Isabelle, il m'était apparu que, si mes propres parents vivaient dans l'erreur et la dispersion depuis quelques années déjà, il m'appartenait, à moi leur fille unique, de les sortir de cet égarement qu'avait provoqué rien moins, me disais-je, qu'un tourbillon de folie générale dont leur sens commun, leurs trente années de mariage paisible, leur conscience de l'honneur et du ridicule, n'avaient pas suffi à les préserver. Mes parents s'étaient séparés cinq ans auparavant, tranquillement, et rien n'expliquait à mes yeux une telle décision, puisque je les avais toujours vus contents l'un de l'autre. Il ne m'avait pas semblé, d'ailleurs, qu'ils estimaient utile de parer cette sottise de la plus vague des justifications. Ma mère, si grande sorcière quoique dissimulée, s'était contentée de m'assurer de leur entente quant au fait, comme si de les savoir d'accord pour rompre leurs très vieux liens avait dû me garder l'esprit serein. Déroutée et confuse, j'avais remis à plus tard de les faire revenir à une appréciation plus exacte de leur situation : ils n'étaient plus très jeunes, et notoirement heureux ensemble. La seule question que j'avais osé poser à ma mère avait été de savoir si ses pouvoirs avaient un rôle dans l'événement, s'ils n'avaient pas gêné mon père au point de l'éloigner irrévocablement.

— Tu sais bien que je ne m'en sers jamais, avait-elle répondu, mécontente et embarrassée. Non, non, tu n'y es pas du tout.

Je n'avais pu m'empêcher d'ajouter alors :

— Si tu le voulais, tu serais sans doute la plus grande sorcière de notre famille.

Ma mère avait bondi en arrière, révulsée d'être nommée ainsi, s'écriant : « Chut ! », battant l'air de ses mains comme pour me faire disparaître.

Je savais pourtant, par ma grand-mère qui me l'avait confié lorsque j'étais enfant, que ma mère était capable de voir, dans une clarté et une précision inouïes, tout ce qu'elle désirait sans le moindre effort, pleurant de rares larmes de sang pâle, et qu'elle aurait même su fabriquer des

SAMUEL BECKETT

MOLLOY

ÉRIC CHEVILLARD

**LA NÉBULEUSE
DU CRABE**

MARGUERITE DURAS

**MODERATO
CANTABILE**

JEAN ECHENOZ

JE M'EN VAIS

CHRISTIAN GAILLY

UN SOIR AU CLUB

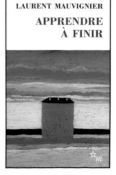

LAURENT MAUVIGNIER

**APPRENDRE
À FINIR**

Collection de poche "double"

MARIE NDIAYE

LA SORCIÈRE

☆m

CHRISTIAN OSTER

**MON GRAND
APPARTEMENT**

Minuit "double" M

JEAN ROUAUD

**LES CHAMPS
D'HONNEUR**

☆m

CLAUDE SIMON

L'ACACIA

☆m

JEAN-PHILIPPE
TOUSSAINT

**LA SALLE
DE BAIN**

☆m

TANGUY VIEL

**L'ABSOLUE
PERFECTION
DU CRIME**

☆m

Collection de poche "double"

www.leseditionsdeminuit.fr

sortilèges, envoûter et désenvoûter, pour peu qu'elle eût admis que l'irréprochable employée d'une importante compagnie d'assurances qu'elle tâchait d'être depuis vingt-cinq ans pût renfermer, sans malhonnêteté ni dommages, une enchanteresse de grande volée. Mais elle le cachait soigneusement et s'évertuait à se tromper elle-même en feignant de n'avoir pas le moindre don. Quant à mon père, ainsi que se comportait mon mari à présent, il avait toujours consciencieusement ignoré les pouvoirs, et c'est probablement avec une réticence un peu dégoûtée, un peu lasse, d'homme aux entrailles pures qu'il aurait reconnu que ma grand-mère l'avait instruit des extraordinaires capacités de sa fille peu avant qu'il l'épousât et que, ces affirmations fièrement communiquées par une vieille femme à l'esprit simple, il les avait mises, sans plus y songer, au compte de l'égarement sénile.

Personne, d'ailleurs, n'aurait pu ressembler moins à une sorcière que ma mère, au visage sérieux et uni, aux yeux sages, à toute la contenance parfaitement convenable et pragmatique. Et qu'elle eût la connaissance, elle, de philtres et de formules (pour jeter un sort, appeler l'orage, contraindre à ses désirs), qu'elle sût lire jusque dans l'âme des figures dont elle voyait l'image à quelque époque que ce fût, j'étais maintenant seule à le savoir, ma grand-mère n'étant plus depuis longtemps, mes filles étant naturellement sceptiques.

Un matin, je partis avec Maud et Lise prendre le train pour Paris, à la gare de notre petite ville. Le ciel était blême et froid comme à son habitude chez nous, et les filles grognaient, contrariées, elles qui ne marchaient jamais plus de cent mètres, de devoir faire à pied le demi-kilomètre qui nous séparait de la gare, plus fâchées encore de prendre le train, qu'elles jugeaient un moyen de transport inférieur en distinction à la voiture de Pierrot.

Pourquoi mes filles sont-elles si ronchonnes ? me demandais-je, avançant devant, les bras chargés de tout notre bagage.

Je me retournais parfois pour contempler avec étonnement le visage boudeur, froncé, de mes jolies filles offensées. Mains dans les poches de leur blouson de cuir, rouge pour l'une, bleu pour l'autre, elles lançaient rageusement leurs jambes bottées, et elles avaient du goût pour l'effort intense de la course, aimant les mille et une activités sportives qu'elles pratiquaient avec un zèle ambitieux, mais se trouvaient, là, éberluées et vexées d'avoir à se fatiguer pour rien, comme des miteuses. Elles m'en voulaient, me jetaient des regards sombres, dénués d'humour ou de malice, car un des effets du Garden-Club, de l'atmosphère que Pierrot avait introduite à la maison depuis qu'il travaillait là-bas, semblait être que Maud et Lise ne pussent se montrer que sérieuses ou frivoles, ignorant toute nuance entre ces deux humeurs.

Comment changer mes filles ? me demandais-je, en même temps qu'une obscure fatigue me faisait courber l'échine à cette perspective.

A vrai dire, la nécessité de corriger la position pervertie de mes parents accaparait maintenant toutes les ressources de mon esprit. J'observais Maud et Lise avec incertitude et une sorte de peine déconcertée, comme neutralisées cependant par le sentiment que j'avais de leur force égoïste, de leur solide et parfaite beauté physique que leurs aspirations semblaient façonner pour être au goût du jour, utile et irréprochable.

Je devais agir sur mes parents, me disais-je, tandis que je ne le pouvais sur Maud et Lise, car elles étaient faites d'une matière humaine différente. Ainsi faites, si elles croyaient suffisamment en leur don pour l'utiliser à d'autres fins que strictement pratiques, elles seraient peut-être, pensais-je avec espoir, les plus grandes sorcières de tous les temps.

Comme nous approchions de la gare et que des nuages chargés de pluie frôlaient les toits d'ardoise des maisons de notre petite ville, un grand bruissement d'ailes, juste au-dessus de nos têtes, me fit m'arrêter et lever les yeux.

– Tiens, une corneille, murmurai-je.

L'oiseau se percha sur une gouttière, tout près. Il me fixa d'un œil tranquille, arrogant, et

69

il ressemblait de manière si frappante à Isabelle que, spontanément, je soufflai son prénom :

– Isabelle, Isabelle... Est-ce toi ?

Nullement effrayée, la corneille me regarda encore, avec un air d'attention supérieure et avisée. Puis elle s'envola lourdement, disparut dans le ciel sombre. De grosses gouttes de pluie se mirent à tomber. Maud et Lise me dépassèrent en courant, et elles furent à la gare en quelques foulées de leurs longues jambes professionnelles, tandis que je les suivais en soufflant un peu, nos deux valises m'éraflant les mollets.

– Le train aura dix minutes de retard, affirma Maud qui cueillit, sans embarras, deux petites perles de sang sur ses paupières, de la pointe de son mouchoir.

– Mais il fera beau à Paris, continua Lise, de même, et grand-mère va nous faire des pâtes, il n'y aura pas de coca, zut.

Toute rancœur évanouie maintenant que nous étions au chaud dans le hall, mes filles m'adressèrent un sourire rayonnant. La peau frémissante, les narines dilatées, elles humaient délicatement l'air nouveau autour d'elles, elles haussaient leur cou mince, palpitant, et, du talon de leurs bottes lacées, tapotaient les dalles en considérant les passants d'un regard froid et assuré.

Deux heures plus tard, arrivées à Paris, comme nous descendions dans le métro pour nous rendre dans le quartier de ma mère, quelle ne fut pas notre surprise de tomber sur Isabelle et Steve, qui montaient. Elle rougit légèrement en nous reconnaissant, puis lança un flot de paroles confuses, d'où il ressortait qu'elle était à Paris depuis deux jours avec l'enfant, logée à l'hôtel. Isabelle portait l'une de ses nombreuses combinaisons de sport, mais celle-ci avait un aspect singulier, faite d'une sorte de velours épais, brun, strié verticalement de reflets ocre qui dansaient sur les formes dodues d'Isabelle. Le brun était une couleur que je ne lui avais jamais vue. Isabelle semblait désorientée, agitée. Elle répéta qu'elle cherchait à Paris une pension où caser Steve, en vain jusqu'à présent.

– Une pension ? m'étonnai-je, et la figure maigrichonne, abrutie par l'inquiétude constante, du petit Steve se déforma brutalement, il poussa un seul cri de terreur.

– Ah, ce que tu m'emmerdes ! hurla Isabelle en lui donnant une bourrade pour l'éloigner d'elle. On va en trouver une, de pension, on ne rentrera pas avant, alors ce n'est pas la peine de gueuler, crétin, et de m'énerver pour rien.

Mais Steve se cramponnait à la cuisse d'Isabelle, mâchoire serrée, et, les coups qu'elle lui assenait aux épaules et sur la nuque restant impuissants à lui faire lâcher prise, elle y renonça, dans un rugissement d'exaspération.

– Tu ne reverras pas la maison de sitôt, je te le dis, moi, fit-elle méchamment.

Steve se pressa contre elle comme s'il avait

71

voulu s'enfouir dans le tendre velours de la combinaison de sport, il était livide et ses dents claquaient, de mauvaises petites dents, gâtées par les friandises dont elle l'empiffrait pour l'occuper.

Isabelle avait perdu beaucoup de sa superbe. Là, dans les rues ensoleillées de Paris, avec son malheureux garçon efflanqué comme l'unique territoire de sa domination, elle semblait miraculeusement réduite à ce qu'elle devait être aux yeux des inconnus qui nous croisaient : une petite femme boulotte et brutale, à l'œil étroit, stupide et malin.

Maud et Lise regardaient ailleurs, ennuyées, réprobatrices. Elles tapaient de leur talon sur le sol avec impatience. Alors je souris à Steve dont les pupilles étaient dilatées d'horreur.

– Je vais partir, continua Isabelle, et, avant, je veux qu'il soit dans une maternelle compétitive, ce cornichon. Non mais, regarde-le un peu, on dirait que je le mène se faire saigner, alors que je veux seulement éviter qu'il reste avec son ahuri de père. Ce que je veux, moi, c'est qu'on me le garde, jour et nuit, dans une sacrée bonne école, et à Paris. Tu seras bien, je te dis, alors arrête de vibrer comme ça, tu m'agaces. Tu veux réussir dans la vie, oui ou non, imbécile ?

Elle le secoua et Steve ferma les yeux, maintenant tout mou et pantelant au bout de son bras. I LOVE MY MOM, proclamait sur son maillot

72

un gros lapin réjoui. Et aussi : NOUS, LES CASTORS, ON AIME LE CAMPING.

– Et où pars-tu donc ? demandai-je doucement, le cœur serré.

Isabelle montra le ciel, me fit un clin d'œil.

– Là-haut. Chut...

Puis elle s'éloigna brusquement, comme à l'accoutumée, et l'enfant qui pendait toujours à sa jambe semblait ne pas peser davantage qu'un petit tas de vêtements.

Ma mère habitait maintenant un immeuble quelque peu délabré. Malgré son salaire correct de vieille employée dévouée, elle n'avait pu trouver mieux que deux petites pièces sur cour, près de la station Marcadet. Au cinquième étage, où j'arrivai essoufflée (mes filles, elles, satisfaites de leur ascension preste et légère, qu'elles avaient chronométrée), un inconnu nous ouvrit la porte.

– Je suis Robert, dit-il avec délectation.

Maud et Lise haussèrent les épaules, entrèrent en le bousculant.

– Ah, et c'est quoi, Robert ? demanda Maud, sans surprise.

Malgré ma stupéfaction, j'eus le temps de remarquer que nul événement n'étonnait jamais mes filles, comme si, déjà, grâce aux émissions télévisées qu'elles regardaient abondamment, elles avaient tout vu.

– Robert, c'est votre nouveau grand-père, dit

alors ma mère, surgie de la minuscule cuisine qui donnait sur un puits de jour.

Il m'avait toujours semblé que l'appartement était imprégné de l'odeur putride, tiède, que ce puits renfermait, et qu'au bout de quelques jours les habits, la peau, exhalaient ce même relent indéfinissable et tenace.

J'embrassai Robert, qui n'avait plus beaucoup de cheveux, portait des lunettes fumées, une chemisette à rayures un peu serrée sur son torse étroit, un bermuda, des chaussures de velours côtelé d'un gris pâle. Il faisait chaud dans le petit appartement de ma mère et les joues de Robert, son nez un peu long, étaient cramoisis, humides, mais il m'embrassa avec vigueur, comme ému de me rencontrer. Maud et Lise avaient filé vers le salon, peu désireuses de se faire mouiller le visage par ce Robert inattendu, et se moquant de ce qu'il en penserait.

– Ma chère petite Lucie ! s'exclama Robert. On se tutoie, hein, pas d'histoire !

Et il parlait lentement, savourant chaque mot qui sortait de sa petite bouche mince et très rouge, ses mains blanches et fines pressées sur son ventre heureux, proéminent bien que l'homme fût plutôt maigre.

J'embrassai ma mère et lui glissai à l'oreille :

– Tu ne nous avais rien dit.

– J'allais le faire, dit-elle avec un rire doux. Mais nous ne sommes pas mariés, Robert n'est installé à la maison que depuis dix jours, il tra-

74

vaille dans l'administration, à l'Inspection académique. Nous allons voir ce que ça donne, lui et moi.

– C'est un poste à responsabilités, dit Robert. Ce matin encore, l'inspecteur m'a téléphoné, alors que je suis en vacances. C'est fréquent, je dirais même trop fréquent, mais ses responsabilités, n'est-ce pas, il faut les...

Une enfantine odeur d'eau de Cologne tentait de dissimuler, sur le cou de ma mère, la puanteur douceâtre des lieux, qu'elle savait et dont son goût de la netteté souffrait. Le logement avait été mal entretenu pendant de si longues décennies que les efforts quotidiens de ma mère pour l'assainir ne parvenaient, semblait-il, qu'à charger d'autres odeurs étranges (de violette, de lavande, de marine) l'épaisse couche de remugles anciens. Dans la cuisine, la saleté avait teint les murs irrémédiablement, l'odeur de soupe avait pénétré le plâtre. Et la cour étroite dans laquelle donnaient les deux pièces, entourée de façades décrépites, était elle-même remplie de tant d'effluves stagnants que ma mère, ouvrant les fenêtres, les ajoutaient à ses propres infectes odeurs plutôt qu'elle ne chassait celles-ci.

Je la félicitai vaguement de sa bonne mine, de sa jolie robe fleurie, mais, alors que j'éprouvais toujours un plaisir attendri à retrouver la fraîche et tendre petite silhouette de ma mère, menue, gracieuse et discrète dans ses très convenables tenues de secrétaire à l'ancienne mode, la présence de Robert m'importunait, dérangeant mes plans.

Peu importe, me dis-je enfin, il ne faut pas se soucier de Robert.

Mais, comme le maître des lieux, il nous précéda au salon, ma mère et moi. Maud et Lise avaient allumé la télévision. A demi allongées sur le canapé, elles avaient croisé les jambes et balançaient leurs bottes de daim noir lacées jusqu'au genou.

– Où est-ce qu'on va dormir ? demanda Lise paresseusement, puisqu'il paraît qu'on a un nouveau grand-père ?

– C'est moi, pépia Robert, et j'en suis ravi, mes petites filles, car ma première épouse, Josiane, ne m'a pas donné d'enfant, malheureusement ; elle est maintenant remariée à un inspecteur des écoles, un monsieur très bien, nous avons d'excellentes relations, vous les rencontrerez. Josiane aime beaucoup les enfants, surtout les filles, et figurez-vous que ce monsieur, son mari, n'a pas d'enfant non plus, alors...

– C'est trop long, Robert, le coupa Maud.

– Si on l'appelait Bob ? suggéra Lise. Qu'est-ce que vous en dites, Bob ?

– Je suis Robert, fit-il avec sérieux.

– Oui, mais c'est affreux, expliquèrent mes filles. Vous vous rendez tout de même bien compte que c'est affreux, Robert, tandis que Bob...

– Je suis Robert, répéta-t-il.

Et il s'assit auprès d'elles d'un air offensé, le bermuda remontant haut sur ses cuisses pâles et glabres.

— Vous partagerez le canapé avec Lucie, je pense que cela ira, murmura ma mère.

On se tournait avec difficulté dans la petite pièce sombre, encombrée des meubles que mon père n'avait pas souhaité garder. Je pensai encore une fois combien la position de ma mère avait été plus enviable, plus décente, son existence plus évidemment facile et heureuse du temps de la vie conjugale. Je fus certaine alors que l'apparition de Robert ne devait modifier en rien mon projet.

— Il est sûr, continuait Robert, que je ne suis là qu'en période d'essai, à titre expérimental, pourrait-on dire. Qui sait, peut-être que dans six mois vous n'entendrez plus parler de moi, pour une raison ou pour une autre, n'est-ce pas, quoique avec Josiane, dont je vous parlais tout à l'heure, j'aie été marié plus de vingt ans, ce n'est pas rien. Moi, je suis fidèle, je m'accroche, oui, je ne suis pas un... Cela dépend surtout de votre chère maman, Lucie.

Ma mère sourit avec joie, passa la main dans sa chevelure soigneusement permanentée, et s'écria :

— Pour ma part, Robert, c'est pour la vie, j'ose le dire !

Et mes filles applaudirent, moqueuses. Le petit visage timide, concentré, sérieux, de ma mère au passé si lisse et si correct était tout éclairé par le plaisir qu'elle éprouvait à nous présenter Robert, ce fonctionnaire tombé des nues qui, depuis dix jours maintenant, occupait le lit de mariage de mes parents que ma mère avait emporté et casé dans l'autre petite pièce, séparée de la première par un rideau de velours bleu. Elle semblait heureuse et fière de sa nouvelle existence, pourtant si peu en accord avec les principes sévères, quoique appliqués avec douceur, qui avaient gouverné la précédente. J'étais abasourdie, mal à l'aise. Malgré moi, mon regard se posait sur les mains étroites de Robert, sur ses genoux blafards, son visage empourpré, comme vernissé par la sueur, puis sur la petite personne délicate de ma mère. Sa robe d'été mi-longue soulignait avec précision sa taille fine, ses épaules un peu minces, elle se tenait bien droite, un pied en avant de l'autre, dignement grandie et couronnée par le nuage frisotté de sa coiffure. Il me semblait ne plus rien comprendre à ce qu'elle était devenue, bien que son allure et ses manières fussent les mêmes qu'autrefois.

– Vous n'avez pas d'appartement à vous, Bob ? reprit Lise.

– Eh bien, ma petite fille, j'ai un logement en banlieue, oui, dans une résidence, très calme, mais je l'ai prêté à Josiane, justement, mon ex-épouse, et à son mari, car ils cherchent quelque chose à Paris, oh, ce n'est pas facile, vous le savez, alors je leur ai proposé d'habiter chez moi

78

en attendant, puisque, moi, je venais de rencontrer votre grand-mère qui était prête à me prendre chez elle. Voilà l'arrangement, quand on est en bons termes, n'est-ce pas, il faut toujours...

– Finalement, dit ma mère, c'est comme un petit nid, ici, malgré les inconvénients.

Mes filles grognèrent et se désintéressèrent brutalement du sujet, l'esprit happé par le générique d'une émission qui commençait.

Se pourrait-il, me demandai-je avec gêne, qu'elle soit profondément attachée, déjà, à ce Robert dont elle n'avait seulement jamais évoqué l'existence auparavant ?

Elle me lança un sourire tendre, paisible. Trop troublée pour y répondre, je tournai mon regard vers la fenêtre. Un grand oiseau brun se tenait sur le rebord, nous observant à travers la vitre d'un œil vigilant et sans effroi, si semblable à la corneille que j'avais remarquée le matin même qu'un petit frisson d'inquiétude me parcourut.

– Un corbeau ! s'écria ma mère.

Alors je ne pus m'empêcher de chuchoter en direction de l'oiseau :

– Isabelle ?

Mais ma mère ouvrait la fenêtre avec fracas et, soudain furieuse, elle que je ne connaissais que d'humeur égale, conciliante, agita les mains en clamant :

– Veux-tu te sauver, sale bête ! Ouh, ouh, déguerpis !

L'oiseau s'envola sans hâte, moins pour obéir à ma mère, semblait-il, que par répugnance du grabuge. Le bout de son aile effleura le front de ma mère, l'air vicié de la cour s'engouffra dans le salon. Elle referma prudemment la fenêtre. Lorsqu'elle revint vers nous, elle était rouge, en colère, déconfite. Jamais je ne l'avais vue ainsi, hors d'elle et toute violence à grand-peine contenue. Je lui pris la main, déconcertée de si peu la reconnaître.

– Un corbeau, ici, à Paris, c'est singulier, commença prudemment Robert.

– Je te jure que je n'ai rien à voir avec cela.

Elle ferma les yeux, tâchant de se reprendre. Robert eut l'air embarrassé.

– Bien sûr, bien sûr ! Tu sais d'ailleurs que, moi, je ne crois pas à...

Il se tut gauchement et je jugeai le moment venu de mettre ma mère au courant de l'initiation de Maud et Lise. Je le lui dis à l'oreille, en trois mots. Elle acquiesça d'un imperceptible hochement de tête, mit le doigt sur sa bouche, murmura sévèrement :

– On ne doit plus parler de certaines choses ici.

Et je mesurais alors combien elle tenait à Robert. Pour ma part, il était hors de question que je fisse allusion au départ de mon mari. J'étais satisfaite, cependant, de constater que, si elle ne souhaitait pas m'entendre en parler davantage, ma mère n'avait pas paru contrariée d'apprendre que mes filles, à leur tour, avaient acquis notre don.

Sans doute, me dis-je, aurait-elle été choquée et navrée, Maud et Lise allant sur treize ans, que je laisse passer le moment sacré de l'initiation, sans doute y pensait-elle tout comme moi.

Et je me répétai, désolée :

Quel dommage, vraiment, qu'elle ne se permette pas d'être la grande sorcière qu'elle pourrait être !

Venir, sous l'apparence d'une corneille, taper du bec aux vitres des maisons eût été un jeu d'enfant pour ma mère, tandis que je n'en avais pas la faculté.

Après le dîner, pris avec difficulté dans la petite cuisine crasseuse, malodorante, où chacun devait se tenir coudes serrés pour ne pas gêner son voisin, j'entraînai ma mère sur le palier, seul endroit où nous pouvions converser sans être entendues. J'étais à la fois émue et démontée par sa vaillance. Comment supportait-elle aussi gaiement, me demandais-je, alors que rien ne l'y avait contrainte, de vivre dans un tel réduit, à son âge, elle qui avait connu la propreté et l'aisance ? Etait-ce déplorable ou admirable ? Je me sentais plonger dans la plus grande confusion d'esprit. Aussi agrippai-je fermement le bras de ma mère, qui me regardait de son œil patient, doux, énigmatique – il me sembla, pour la première fois, que sa douceur était forcée, sa patience douloureusement contrôlée.

– Maintenant, Maman, écoute-moi bien, chuchotai-je d'une voix implorante.

Je retraçai alors rapidement les cinq années qui s'étaient écoulées depuis sa séparation d'avec mon père, je les comparai avec les trois décennies de paix et d'harmonie qu'avait duré leur mariage, je lui rappelai succinctement à quel point, le dimanche, ils avaient aimé tous deux se promener ensemble au parc Montsouris, et comme notre petit entourage familial avait souvent loué la calme permanence de leur union – n'était-ce pas rigoureusement exact ? Je lui avouai même que je n'avais jamais espéré, quant à moi, une alliance aussi accomplie avec Pierrot, mais que, toujours, j'en avais eu le regret.

Ma mère haussa légèrement les épaules. Une fine lueur dorée illumina son œil brun le temps d'une seconde.

– Tu ne peux pas tout savoir, ma petite Lucie, murmura-t-elle.

Quoi qu'il en fût, il me semblait maintenant qu'à moi, leur seul enfant, ils devaient au moins une chose, poursuivis-je, une chose infime après laquelle je ne leur demanderais plus rien. Mais, cette prière que je leur faisais, qu'ils l'exécutent, s'ils prétendaient avoir un peu d'affection pour moi.

– Allons, allons, fit-elle, gênée par tant de démonstration.

J'avais réservé pour eux une petite chambre en bord de mer, dans un village non loin de chez nous, pour le week-end du douze juin suivant. Je voulais qu'ils y viennent ensemble, qu'ils passent là, en tête à tête, ces deux jours et ces deux nuits, et, s'il leur paraissait toujours, après cette diversion, qu'ils devaient rester séparés, je m'y résignerais, sans plus aucune allusion à ce que, pour le moment, je ne pouvais ni admettre ni comprendre.

– Voilà, maman, ce que j'exige de vous, conclus-je en lui pressant le bras. Tout est prêt, tout est payé d'avance.

Elle eut un petit rire incrédule.

– Et Robert, alors, que fais-tu de Robert ?

Je lui montrai d'un geste agacé le peu de cas que je faisais de Robert.

– Quoi, soufflai-je, il ne va pas s'envoler, ton Robert.

A cet instant, la porte de l'appartement s'ouvrit sur la longue face inquiète de Robert, il lança, ses petits yeux écarquillés :

– Le corbeau est revenu !

Ma mère poussa un cri de fureur et, de nouveau, son regard se dora d'une lumière étroite et brève. Je la retins comme elle s'élançait, courus au salon. J'écartai les deux battants de la fenêtre et vis, loin déjà, l'oiseau qui venait de décoller.

– Isabelle, Isabelle ! appelai-je.

Et l'écho de la cour sombre, malodorante, reprit : Belle... Belle...

En face, une fenêtre grinça.

– Oui, qu'est-ce que c'est ? demanda une femme qui ressemblait à Isabelle, le visage tendu avec méfiance, cherchant à me reconnaître. Elle avait l'air acerbe et las. Je la saluai d'un vague signe de tête.

Dès le lendemain, je me rendis chez mon père en compagnie de Maud et Lise, qui n'étaient pas mécontentes de quitter cet appartement inconfortable pour les quartiers plus fastueux de leur grand-père. Les hanches bien prises dans un tailleur écossais un peu démodé, ma mère, sur le chemin de son bureau, nous accompagna jusqu'au métro. Quoique prudente, réservée, elle avait une démarche ferme et, comme elle trottait devant avec mes filles, il me sembla qu'elles posaient toutes trois de la même façon leur pied lacé sur le trottoir, sûres, sans le regarder, du sol qui était là, confiantes en leur instinct. Et je m'avouai avec réticence qu'elle n'avait peut-être pas marché aussi hardiment au temps de la vie avec mon père.

Pourtant, me dis-je, son Robert, pas davantage que papa, ne veut croire en ses pouvoirs, ne veut en entendre parler. Qu'est-ce donc qui l'a changée ainsi ?

Je serrai ses fines épaules sanglées dans le tweed, embrassai ses joues duvetées qui, sous la poudre, sentaient légèrement l'odeur du puits de jour, lui chuchotai à l'oreille :

– Je t'enverrai donc un billet de train pour le douze.

Et ma mère répondit de sa voix la plus suave, ses yeux de nouveau promptement éclairés de jaune :

– Nous verrons, ma chérie, nous verrons bien.

Elle s'éloigna, se retourna pour nous faire signe, puis se hâta machinalement, toujours en avance, consciencieuse employée, menue, gentille, scrupuleusement falotte et soumise.

Du côté de la place Saint-Jacques, mon père nous reçut dans le nouvel appartement qu'il avait loué, que ni les filles ni moi-même n'avions encore vu. Il dirigeait maintenant une grande succursale de la compagnie d'assurances où ma mère travaillait comme secrétaire, il s'était, lui, élevé, et gagnait suffisamment d'argent pour avoir décidé, nous expliqua-t-il sur-le-champ, de s'offrir ce luxueux logement, long de cinq ou six pièces en enfilade, blanches et lisses, parquetées, meublées de neuf et non plus du mobilier de son mariage. Ces meubles-ci, précisa-t-il avec dégoût, il les avait tout simplement abandonnés sur le trottoir.

Mon père ouvrait largement ses grands bras et Maud et Lise, ravies de tant d'éclat, s'y précipitèrent en gloussant. Je remarquai, un peu surprise, que les mèches de cheveux gris que je lui avais connues, mon père les avait teintes d'un noir bleuté qui tranchait sur ses cheveux bruns. Par ailleurs, il avait bronzé, minci, avait pris une certaine élégance juvénile de bellâtre, mais quand, avec un enthousiasme ostentatoire, il commanda à Maud et Lise de galoper à travers les pièces – et, dans un bruit de sabots furieux, elles s'élancèrent –, je vis qu'il avait l'air soucieux, tendu. Il me saisit par l'épaule et, sur le ton qu'il avait sans doute pour parler affaires dans son bureau de la rue de Rivoli, il me pria de lui rendre le plus vite possible les cent vingt mille francs qu'il m'avait donnés récemment, lors de sa promotion. Puis il se laissa tomber sur son nouveau canapé, de cuir rouge, velouté, et déclara, évitant de me regarder :

– C'est le trou de caisse, ma petite fille, je suis dans une drôle de position.

Je répétai :

– Le trou de caisse ?

Je le voyais pâlir, transpirer, quoique s'efforçant à la bonne figure.

– Tout va s'arranger, mais il faut que je trouve l'argent, chuchota-t-il avec un regard fuyant autour de lui.

De plus en plus étonnée, car je n'avais pas le souvenir que mon père, sage et zélé, se fût jamais mis dans les ennuis, j'observais silencieusement son mobilier, les quelques tableaux ornant les murs : le goût de mon père avait changé brutalement, se portant maintenant sur le métal, le verre et une froide abstraction.

– Et pourquoi te faut-il trouver de l'argent ? lui demandai-je enfin.

Mais j'avais l'esprit tourné entièrement vers la rencontre que je voulais organiser entre ma mère et lui, le douze juin, et je cherchais le moyen de lui présenter ma conjuration sans qu'il pût même envisager de la repousser. Je finis par comprendre vaguement, à la faible clarté de son exposé rapide et embarrassé, qu'il avait omis depuis quelques mois de présenter à sa compagnie bon nombre de chèques envoyés par ses clients. Et cet argent, il l'avait dépensé, ou prêté, jusqu'au dernier centime, dans l'euphorie de sa nouvelle existence si luxueuse, si inattendue, si merveilleusement remplie d'insouciance et de jeunesse. Jamais, dit-il, avant que sa compagnie n'eût commencé, récemment, d'avoir des soupçons, il ne s'était senti aussi libre, aussi léger.

D'un mouvement voluptueux, il passa la main dans sa chevelure teinte, puis sur ses cuisses serrées dans un jean de bonne coupe, flambant neuf. Je l'avais connu, dans l'enfance, plutôt sévère, quoique tendre, ne badinant guère avec les principes d'une morale petite-bourgeoise. Et voilà qu'il me demandait, sans paraître écrasé de honte, de lui rendre l'argent qu'il avait conservé frauduleusement et qu'il m'avait donné dans un beau geste d'attention paternelle, me priant de croire que, s'il réunissait rapidement la somme manquante, sa compagnie, certes, lui retirerait la direction de l'agence mais ne le poursuivrait pas en justice.

— Comment espérais-tu qu'elle ne s'apercevrait de rien ? demandai-je, écœurée et me refusant à m'asseoir.

Mon père tapotait le canapé, me souriait de toutes ses dents parfaitement retapées et blanchies, brillantes. Il reconnut que son système était fragile, reposant sur l'espoir que ses clients ne subiraient ni accident ni sinistre, aussi n'auraient-ils pas besoin d'en appeler à leur assureur.

— Mais assieds-toi donc, ma chérie, répétait-il en lissant la place à côté de lui, le cuir si doux qu'il ne pouvait en détacher sa main. Il me regardait de ses yeux aimants, fiers, dénués de toute ombre de confusion. La peau de son visage nouvellement hâlé, lissé, soigné, rayonnait de jouvence comme une peau d'enfant. Mon père me fit un clin d'œil. Dégoûtée par tant d'inconséquence, j'allai à la fenêtre.

— Tout de même, grondai-je, tu aurais bien dû te douter que...

Alors, me penchant, je reconnus tout en bas, marchant lentement dans la rue piétonne, Maud et Lise, l'une en bleu, l'autre en rouge. Stupéfaite, je leur criai de remonter. Elles levèrent vers moi, dans un mouvement semblable qui fit danser leurs cheveux, leur mince figure transfigurée par la joie, me hélèrent triomphalement, et l'espace d'un instant je vis leur visage de toutes petites filles quand, âgées de deux ou trois ans, elles m'appelaient depuis le jardin, le cou tendu, pour me montrer quelque éblouissante découverte. Je secouai la main machinalement, au bord des larmes.

– Comment sont-elles sorties ? Il n'y a qu'une entrée, juste là, s'étonna mon père.

A peine eut-il fini sa phrase que les bottes de Maud et Lise claquaient déjà dans la chambre voisine. Elles nous rejoignirent, rouges d'excitation, et se perchèrent sur les accoudoirs du canapé.

– Mais comment avez-vous fait ? s'écria mon père. Et si vite ?

Il fronçait les sourcils, ne riant plus du tout, presque irrité.

Soudain, des manches de leur blouson, des cheveux de Maud et Lise, voletèrent quelques plumes légères d'un brun-noir, qui délicatement se posèrent sur le parquet poli. Mes filles riaient, enfantines, glorieuses.

– Est-ce que tu le connais, toi, le Robert de Mamie ? demanda Lise à mon père.

– Jamais rencontré, dit-il sèchement.

Il s'enfonça alors dans une affectation de froideur destinée à bien montrer qu'il n'aimait pas qu'on se moquât de lui. Je lançai un coup d'œil à mes filles – comme j'étais impressionnée par leur talent, déjà tellement supérieur au mien ! Mais elles me regardaient sans ciller, pénétrées de l'idée qu'elles ne faisaient rien que de fort naturel, contentes et fières. Un peu de sang tachait leurs genoux, coulé de leurs yeux à quelque moment de la journée.

Deux petites sorcières sans scrupules ni arrière-pensées, me dis-je, partagée entre l'inquiétude et la satisfaction.

Elles s'ébrouèrent, quittèrent la pièce, abandonnant derrière elles un vaporeux tapis de petites plumes sombres.

— Alors, reprit mon père, le regard haut levé pour ne pas les voir, quand pourras-tu me rendre les douze millions ?

Je rougis, songeant à Poitiers. Puis je lui dis d'une voix calme, déterminée :

— Tu les auras à une condition.

Et je lui expliquai que j'avais réservé pour lui et ma mère, le douze juin, une chambre au bord de la Manche, dans un petit hôtel tranquille. Mon cœur battait si fort que je dus, cette fois, accepter de m'asseoir.

— Tu iras, n'est-ce pas ? le suppliai-je.

Il posa sa main sur mon bras, me caressa la joue.

— J'irai, oui, s'il le faut, j'irai. Quoique, avec ta mère, tout soit dit depuis longtemps, ma petite fille.

Et il paraissait soulagé d'apprendre, peut-être, que je n'avais pas touché à l'argent.

Mon père arpentait maintenant son grand salon à demi vide. Il me lançait des sourires larges, quoique impatients, faisant voltiger sous ses pieds les petites plumes aux couleurs subtiles de mes filles. Je compris qu'il attendait que nous partions. Un peu déçue, car il y avait de nombreux mois depuis notre précédente visite, je me levai, appelai Maud et Lise.

— Le chèque que tu vas me donner, libelle-le au nom de ma compagnie, souffla-t-il rapidement. Je te ferai un contrat factice. Surtout, ne tarde pas, ou c'est ma mort.

Il ajouta d'une voix allègre :

— Je suis invité à déjeuner par une charmante personne.

Mon père bondit à pieds joints en poussant un petit cri d'adolescent joyeux et, comme Maud et Lise étaient là, il nous assura de son amour, des pensées affectueuses qu'il avait si souvent pour nous depuis son beau bureau aux fenêtres immenses, là-bas, en des termes et sur un ton que, me dis-je, il eût préféré mourir plutôt que d'employer, autrefois.

Dehors, nous tournâmes un peu dans le quartier, puis nous prîmes le métro pour retourner à la gare. Un groupe d'enfants en excursion descendit à la station du Louvre. Je suivais des yeux leur petite troupe colorée et piaillante, remarquant que les enfants étaient très jeunes, à peine des bambins, et qu'ils portaient tous des vêtements identiques, lorsque Maud s'écria :

— Je vois Steve !

Je reconnus, moi aussi, le fils d'Isabelle qui marchait devant, la main dans celle d'un autre garçon tout semblable, et son visage apeuré, déformé par l'appréhension constante, était maintenant fermé et obscurci par une indissoluble tristesse de petit vieux revenu de tout.

Est-ce d'avoir perdu sa mère ? me demandai-je, incrédule.

Lise l'apostropha par les portes ouvertes du wagon. Il tourna la tête, posa sur nous un œil mort.

Qu'as-tu fait là, Isabelle ? pensai-je alors, soudain glacée.

SECONDE PARTIE

Une fois rentrée chez nous, dans notre belle maison neuve aux murs sonores, il m'apparut que, si je voulais, non pas sauver mon père d'une inculpation honteuse mais l'amener, le douze juin, dans la petite chambre de l'Hôtel de la Plage, et qu'il passât deux jours à reconnaître avec ma mère la grande absurdité de leur séparation, il me fallait sans tarder faire un saut à Poitiers afin de récupérer les cent vingt mille francs. J'avertis donc la maman de notre visite, puis je repris le train en compagnie de Maud et Lise. J'avais une forte crainte à la perspective de rencontrer Pierrot. Mais je craignais moins de le voir que l'éventualité qu'il refusât de me rendre l'argent, ou qu'il en eût gaspillé une bonne partie, enfin que l'argent eût disparu d'une manière ou d'une autre. Je me satisferais très bien, me disais-je, d'une valise tendue dans l'entrebâillement d'une porte, et que Pierrot ne veuille plus que je le voie autrement que par les yeux de mon esprit me convenait très bien également. Qu'avais-je à faire de Pierrot ? me disais-je. Je saurais toujours où il se trouvait, et les filles mieux que moi encore. Je redoutais simplement qu'il n'entrave ou ne ruine mon projet de raccommodement, de réparation d'une grave erreur, car je n'attendais maintenant rien d'autre de la vie, je ne demandais rien à l'existence que le succès de cette entreprise.

Si mes parents devaient rester séparés, il est probable que je n'y survivrais pas, pensais-je vaguement tandis que le train rapide emportait vers Poitiers notre petite famille tronquée.

Maud et Lise, assises devant moi, feuilletaient les revues pour jeunes filles qu'elles avaient achetées à la gare, les commentaient dédaigneusement, et rien ne montrait qu'elles éprouvaient, elles, une quelconque émotion de revoir bientôt Pierrot. Il me semblait, du reste, que l'utilisation grandissante de leurs pouvoirs, dont elles ne doutaient plus, asséchait dans le cœur de mes filles tout sentiment inutile, plus efficacement encore que ne l'avaient fait leur ambition et leur goût pour la lutte. Je comprenais enfin, les voyant, ce que c'était qu'une véritable sorcière, et je commençais de craindre et d'envier Maud et Lise.

Mes yeux se fermèrent, je somnolai quelques minutes. Lorsque je me réveillai, mes filles n'étaient plus là. Je parcourus le wagon, puis le train, et, soucieuse, je revenais à ma place quand deux gros oiseaux vinrent frôler la vitre du compartiment. Ils s'éloignèrent, disparurent à ma vue. Puis ils revinrent, dans un piqué joyeux, frotter leur aile au carreau, et je leur souris, soulagée. Ils me fixèrent d'un œil froid, malin – qui étais-je pour ces corneilles ? Qui étais-je encore pour mes filles, certes tendres envers moi, mais déjà sorcières si accomplies qu'elles ne pouvaient certainement s'empêcher de ressentir, envers leur mère peu douée, une sorte d'indifférence condescendante ?

Les corneilles se détournèrent et batifolèrent non loin du train, qu'elles suivaient à la même vitesse. Elles avaient le cou légèrement pelé, le plumage terne. Je songeais qu'en initiant Maud et Lise je n'avais fait que précipiter le moment où elles se seraient détachées de moi, fortes de leur volonté de puissance.

– Ces bêtes-là, si j'avais mon fusil, j'en ferais mon affaire ! s'écria un monsieur en pénétrant dans le compartiment.

L'air furibond, il colla son front à la vitre pour mieux observer les deux oiseaux.

– Voyez comme ils sont laids, comme ils ont l'air mauvais. Pan, pan ! Bon Dieu, ça me démange !

Puis il se redressa et me lança un clin d'œil complice. Je remarquai alors que Maud et Lise avaient laissé devant la banquette leurs grandes bottes noires à lacets. Je les poussai du pied vers le siège pour les dissimuler aux yeux du bonhomme, et les bottes émirent un léger feulement. Elles grondèrent doucement, les lacets dénoués eurent un discret tortillement d'orvet dérangé et méfiant. Je retirai aussitôt mon pied. Inquiète, je cherchai du regard les corneilles, envolées maintenant je ne savais où, très éloignées du train.

Si elles allaient ne plus revenir, me dis-je dans un brusque accès de détresse, s'il leur prenait l'envie de rester ainsi.

Je scrutai la campagne grisâtre, le ciel plombé, chaque toit sur lequel auraient pu se percher mes oiseaux à l'aspect funeste, décharné. Et je sentais tout mon corps vidé par une impression de solitude mortelle.

Elles sont donc parties, me répétais-je, les voilà parties à jamais.

– Ces bestiaux-là, continuait le monsieur, moi, je ne les empaille pas, ça me répugne, non, moi, je les cloue sur une planche et je les laisse se déplumer à la cave, ce n'est pas mauvais pour...

Le train s'enfila dans un tunnel, toutes lumières subitement éteintes, et à la sortie Maud et Lise étaient assises devant moi, bottées, feuilletant leur revue. Elles ne laissaient plus sur le sol qu'un imperceptible duvet, une poussière de plumage, progressant ainsi dans la connaissance de leur don. Mon soulagement était tel que les yeux me piquèrent. Cependant je n'osai me lever, les étreindre. Les deux petits visages minces et délicats de mes filles, penchés et concentrés, les cheveux légers caressant le menton – leurs pénétrantes petites figures avaient un air de froideur absolue, comme si, forcées d'être encore là pour quelque raison, Maud et Lise ne jugeaient pas utile de cacher qu'elles étaient déjà ailleurs en vérité. Je sentis que je les avais perdues aussi sûrement que si elles n'étaient pas revenues.

A Poitiers, sur le quai, la maman de Pierrot me souffla à l'oreille :

– Il est parti ce matin, il s'est sauvé, devrais-je dire. J'ai trouvé sa chambre déserte, et son sac a disparu.

La maman de Pierrot était forte et charpentée, vêtue d'amples lainages sombres. Terriblement déçue, je m'appuyai un instant sur son épaule.

– Ma pauvre fille, va, dit la maman en me pressant la taille.

Une telle expression de plaisir, presque de bonheur, rosissait ses joues, pourtant, que je lui en demandai aussitôt la cause. La maman, pour mieux savourer sa joie, marqua un temps avant de répondre :

– Lili est enceinte, Lili va avoir un bébé.

Troublée, je m'étonnai silencieusement que la maman en fût aussi heureuse, car elle ajouta d'une voix rapide, comme soulignant, par goût de la précision, un détail sans importance :

– On ne connaît pas le père, il n'y a pas de père, nous dirons donc que, dans le cas de Lili,

99

le père n'a jamais existé. Si tu savais comme je suis contente !

Mains dans les poches, Maud et Lise s'approchèrent, vaguement curieuses. Elle n'embrassèrent pas leur grand-mère, qui se tint à distance d'elles et se contenta de dire, mal à l'aise :

– Comme vous avez changé !

Mes filles souriaient, hautes et droites sur leurs talons, considérablement plus grandes que la maman de Pierrot. Celle-ci fit un pas vers Maud, irrésistiblement poussée par un petit souci maniaque de netteté, pour effleurer du bout des doigts son blouson, en ôter une minuscule touffe de duvet doré. Puis elle se rejeta en arrière, dans un riotement gêné.

– C'est à peine si je vous reconnais, mumura-t-elle encore.

Indifférentes maintenant, Maud et Lise ricanèrent. J'étais désappointée, accablée. Qu'allions-nous faire à Poitiers, si Pierrot ne s'y trouvait plus ? La maman me prit par le coude et m'entraîna d'une poigne robuste, affectueuse, qui me rappela que j'avais toujours entretenu d'excellents rapports avec cette femme aux principes rigoureux. Affaiblie par le souvenir de notre bonne entente, je lui permis de me conduire jusqu'à l'auto.

– Pourquoi l'avez-vous laissé partir, Maman ? ne puis-je m'empêcher de demander. Vous saviez qu'il était important que je le voie.

La maman chuchota, ses petits yeux vifs à hauteur de mon oreille :

— Il m'était impossible de lui ordonner quoi que ce soit, ma pauvre fille. Si tu savais comme il est devenu méchant. Vraiment je n'y comprends rien, rien. Il n'y a que toi qui sois restée la même, en qui j'aie confiance. Qu'est-il arrivé à tes filles ? Pardonne-moi, elles me semblent glacées, lointaines, mauvaises. Qu'est-ce qu'il leur est donc arrivé ?

— Elles ont acquis d'un seul coup leur entière liberté, dis-je à voix basse, le cœur serré.

Elle lança un coup d'œil circonspect à Maud et Lise, qui nous suivaient paisiblement.

— Bon, quoi qu'il en soit, Pierrot, lui, comment aurais-je pu m'attendre à le voir se transformer ainsi ? Durant ces trois semaines, il a vécu reclus dans sa chambre, il n'en sortait que pour me surveiller, m'effrayer, sa chambre de petit garçon devenue une abjection, un cloaque, oui, il n'en sortait que pour me tenir des propos sans queue ni tête, comme quoi tout l'exaspère et le dégoûte, même moi, sa maman, et toi, et les filles, et tout le monde. L'existence tranquille que vous avez menée tous les quatre, il en a eu le dégoût, me dit-il, une répugnance soudaine, irrépressible. Son travail, ses collègues, la bonne ambiance, il a eu le dégoût de tout cela. Et votre maison, le lotissement, la vie de famille, tout l'a dégoûté brutalement, c'est ce qu'il m'a dit, il était plein de hargne et d'amertume. Il ne tolère

101

pas l'idée que quiconque sache maintenant où il est, veuille le raisonner et le persuader de se comporter autrement. Il ne veut plus exister pour personne. Il veut, dit-il, qu'on le tienne pour mort. Il refuse que je prononce son nom, déteste que je lui parle, il prétend que je ne dis que des sottises, que je radote, que je ne fais que répéter ce qu'on dit partout. Je ne devais évoquer devant lui rien de ce qui concernait sa vie passée, ne pas parler de toi ni des enfants. Toi, les filles, il a eu le dégoût de vous aussi. Il a été avec moi d'une violence inconcevable.

La maman, oppressée, dut s'arrêter. Elle respira péniblement, puis reprit :

— La semaine dernière, je ne t'en ai rien dit au téléphone, par crainte, car il m'épiait, il écoutait tout – il m'a presque assommée d'un coup de poing sur la tête pour je ne sais quelle broutille, je ne sais quelle manière, comme ceci ou comme cela, dont je l'aurais appelé à dîner.

— Comment, Maman, Pierrot vous a frappée ?

— C'est la vérité, c'est comme je te le dis. Son poing sur ma tête, à démolir un bœuf. Jamais je n'avais vu mon fils toucher à un cheveu de qui que ce soit, et là, pour un ton de voix un peu trop insistant que j'aurais eu, ou un peu trop je ne sais comment, rien n'était clair, il se montait et hurlait...

Les lèvres de la maman tremblaient, quoique sa joie fût encore visible dans ses yeux. Elle haletait légèrement et, de honte, son visage s'était empourpré. D'abord désemparée, je me sentis ensuite en colère.

– Aussi, Maman, si vous n'aviez pas été sans cesse à lui dire que vous n'estimiez pas son travail au Garden-Club.

– Eh bien, mais c'était ce que je pensais, je pouvais tout de même bien, moi, sa maman, lui donner le fond de ma pensée. Il avait refusé d'être professeur, de suivre ma voie, je ne pouvais pas le féliciter d'être devenu un charlatan.

Et la maman s'installa au volant de sa vieille GS beige, tandis que Maud et Lise, sans grogner ni se plaindre, l'air absent, se glissaient derrière.

Ne vous envolez pas, les priai-je muettement. Devant la maman de Pierrot, restez comme vous êtes encore maintenant, mes petites filles.

La maman évita soigneusement le centre de Poitiers et, songeant qu'il était dans la constitution sociale et mentale de nos familles d'habiter toujours la plus navrante lisière des villes, je nous revis, quelque six ans plus tôt, parcourir dans cette même voiture les petites rues droites, grises et délabrées, toujours étrangement vides, le long des maisons étroites dénuées de balcons, de volets ou de pensées aux rebords de leurs fenêtres, les rues silencieuses, consternées, des faubourgs de Poitiers, jusqu'à la maison de la maman, avec son crépi gris, abrutie de torpeur et de modestie. Je me rappelai combien, malgré la tendresse que j'avais pour la maman de Pierrot, il m'avait toujours semblé qu'en pénétrant dans la cuisine, en bas, longue, basse et sombre, qui ouvrait sur la rue, à la fois excessivement briquée et pleine d'une étouffante odeur de soupes quotidiennes et de réfrigérateur peu aéré, à peine le pied posé sur le lino tiède, luisant, chacun, à l'exception de la maman, était frappé d'un tel sentiment d'ennui et d'accablement qu'on oubliait toute civilité, toute éducation, pour donner libre cours malgré soi à de vilaines pensées de crime sanglant, mais salvateur, mais distrayant. Tandis que la maman allait et venait d'humeur égale dans sa maison maniaquement tenue, les invités, je m'en souvenais, avaient tendance à se parler mal, avec une brutalité déplacée, et à rouler interminablement entre leurs doigts des petits morceux de mie de pain. Et la maman chantonnait, fière de son logis, en toute innocence.

Aussi ne fus-je pas surprise lorsque, descendues de voiture et attendant que la maman ouvrît sa porte à l'aide de multiples clés, Maud et Lise déclarèrent :

— Nous sortons, ce soir.

— Où ? Où voulez-vous sortir ? demanda la maman, effarée.

Elle se tourna tout d'un bloc vers les filles, qui ne répondirent pas.

— Alors Lili vous emmènera quelque part, hein, je vais demander à Lili de vous conduire, de ne pas vous ramener trop tard, elle-même, dans son état, ne peut pas se permettre de...

La joie, de nouveau, illumina son visage sévère.

— Si ce pouvait être une petite fille, me glissa-t-elle. Oh, je lui ferais des robes. Et toutes les nippes de Lili, tu sais, tous ses habits d'enfant, je les ai gardés, je n'en ai jamais donné aucun en prévision de ce jour-là.

D'une voix malicieuse, elle ajouta :

— Comme il n'y a pas de père, Lili reste avec moi, chez elle. Sinon, n'est-ce pas, je l'aurais perdue, et le petit avec. Alors, ma chère Lucie, moi, je prie chaque jour pour que ce brave papa-là demeure un pur esprit, à jamais.

— Vous avez raison, Maman, acquiesçai-je, dans la désolation.

Et je poussai notre bagage vers la cuisine, j'étais envahie déjà d'aigres méditations. Je découvris Lili posée sur une chaise de paille, devant un verre de blanc.

— Il va falloir que tu t'en passes, de ce poison, rugit la maman, tout en me bousculant pour fondre sur Lili.

Elle s'empara du verre et cria :

— Tu sais bien le mal que tu lui fais, bon Dieu !

Puis, presque dans un même saut, elle se précipita vers l'évier, attrapa une éponge, revint essuyer quelques gouttes sur la table, sécha le tout de vigoureux coups de torchon.

105

– Un petit verre chaque soir, un seul, ça n'a jamais fait de mal ni à Dieu ni au diable, ma vieille, dit lentement Lili.

La maman pinça les lèvres et je compris qu'elle se retenait de pleurnicher. Alors Lili se leva, et de la voix nouvelle que j'avais entendue au téléphone, alerte, charmante, nous souhaita la bienvenue. Elle effleura ma joue de ses lèvres dessinées et parfumées, embrassa également Maud et Lise, aussi large à elle seule que mes deux filles côte à côte, mais preste, vive, rieuse, et parfaitement éduquée. Dans son visage abondamment poudré de blanc, ses petits yeux allaient et venaient et ne s'arrêtaient que furtivement, prudents, malins. Lili était immense et massive. Je remarquai qu'elle était juchée sur les sandales brillantes à très hauts talons que je lui avais vues en pensée, et la chair de ses pieds comprimés, couverts d'un collant noir, émergeait péniblement mais à profusion entre les fines lanières. Elle était, ainsi, si différente de l'adolescente d'autrefois qu'il m'était impossible de croire que ce pût être la même personne. Et Maud et Lise, qui autrefois ne s'étaient jamais privés de commentaires cruels sur leur jeune et morne tante, s'approchèrent amicalement de Lili, dans une nette communion d'esprit. Il me sembla alors que ces trois filles n'étaient en réalité qu'une seule créature.

La malheureuse maman souriait maintenant, toute reprise par son enchantement. Je me transportai dans un coin de la cuisine et la regardai préparer le dîner en un tournemain, tandis qu'au-dehors l'orage éclatait, d'une soudaineté et d'une violence telles que je ne doutai pas qu'il eût été créé à l'instant par l'une ou l'autre de mes filles.

– Quelle pluie, s'étonnait la maman, on ne s'attendait pas à une tempête ce soir.

Jamais, quant à moi, je n'avais été capable d'une œuvre pareille. La maman écarta un rideau, regarda la rue où dévalaient déjà de gros paquets d'eau. Petite, trapue, elle avait passé son tablier fleuri et soigneusement ceinturé pour s'activer. Devant la fenêtre, son dos ignorant de nombreuses choses, semé de pâquerettes naïves, me parut être le tremplin sur lequel bondirait brutalement sa postérité avant de s'élancer pour l'oublier une bonne fois pour toutes. Pleine de compassion pour la maman, je ne bougeais pas cependant et attendais la suite.

Le repas fut vite expédié. A la fin, comme la conversation languissait, je crus bon de féliciter Lili.

– Cette histoire-là, je ne l'avais pas prévue, répondit Lili en se tapotant le ventre avec désinvolture.

Maud et Lise éclatèrent de rire. La maman s'efforça de grimacer.

– Prévu ou pas, tu sais que ça n'a pas d'importance, hein, Lili, parce que, moi, je suis prête à m'occuper de tout.

– Hum, hum, fit Lili, coquette, sans opinion.

Elle repoussa sa chaise, se dressa, exhibant au nez de la maman son ventre renflé. Puis elle fit signe à Maud et Lise. L'orage grondait toujours, inhabituellement long.

– Vous n'allez pas sortir par ce temps, hasarda la maman.

Mais déjà mes filles avaient ouvert la porte et elles semblaient n'avoir aucun besoin de leurs jambes mais de leurs seules bottes, qui se soulevaient et claquaient sur le lino animées d'une vigueur propre. Sans me jeter un regard, Maud et Lise se ruèrent sous la pluie. J'avais le cœur serré d'envie et de peine. Lili les suivit d'un pas plus lourd, elle tanguait légèrement dans ses sandales mais s'écarta de la maman qui tendait une main pour la soutenir. Enfin la porte claqua. La lueur brutale d'un éclair frappa le visage atterré de la maman de Pierrot. Elle m'implora du regard, cependant je me sentais d'humeur maussade sous le néon. Je gardai les yeux baissés.

– Tout de même, dis-je, c'est bien un peu de votre faute si Pierrot a fichu le camp ce matin. Je vous avais dit de surveiller au moins l'argent, mon argent.

– Si Pierrot est ton mari, c'est son argent tout autant que le tien, répliqua la maman.

D'un geste sec, elle retira mon assiette où demeuraient quelques brins de vermicelle.

– Et d'ailleurs, est-ce qu'il est convenable de posséder autant d'argent ? Moi, poursuivit la maman, je n'ai jamais eu une somme pareille sur mon compte d'épargne, bon, eh bien, ça ne m'empêche pas de vivre avec décence et de tenir correctement ma maison. Est-ce que tu avais besoin de cet argent pour garder ton mari et t'occuper de tes filles ? Tu as bonne mine maintenant, le bonhomme disparu, les enfants dans la rue à dix heures du soir, à faire on ne sait quoi. Et tu t'inquiètes de l'argent encore !

La maman ricana, toute joie évanouie sur son visage soudain las et désabusé. Je ne voulais pas me fâcher et lui caressai la main. Les milliers de fleurettes qui ornaient son tablier me troublaient le regard – la maman ainsi enveloppée d'une folle prairie, d'un printemps insensé, observait d'un air inquiet les vitres qui tremblaient, poussées par le vent et la pluie, et qu'heurtait parfois légèrement un projectile ou le bec d'un rapace.

– Je ne me sens pas tranquille, mumura la maman dans un frisson.

Cette nuit-là, couchée dans la petite chambre de mon mari, je rêvai que ma mère entrait et posait un baiser au coin de mes lèvres, puis je m'éveillai avec le pénible sentiment de la désillusion, constatant que j'étais seule.

Comme j'aimerais que ma mère entre dans la chambre, me dis-je avec ferveur, et qu'elle s'assoie sur mon lit quelques secondes !

J'avais du mal à croire, sortant des visions si claires et si douces de mon rêve, que la réalité n'était pas telle. J'attendis un moment, les yeux fixés sur la porte. Quand je me levai enfin, déçue, fatiguée, un soleil gris émergeait au-dessus de la maison d'en face, dans le triste ciel de Poitiers.

Personne n'est encore réveillé, constatai-je avec ennui, car le silence nocturne emplissait le logis.

Je descendis à la cuisine et là, sur la chaise de paille occupée la veille par Lili, devant un café bien noir, ma mère attendait. Elle tourna vers moi sa petite tête gracieuse, l'inclina légèrement, me sourit, comme autrefois, chez nous, lorsque je descendais le matin prendre mon petit déjeuner, dans la pièce déjà chaude et parfumée de ce que ma mère y avait préparé. Stupéfaite, il me sembla alors que ma mère était morte et que je n'avais devant moi que son apparition. Mais elle se leva, m'embrassa, et je reconnus dans son cou l'imperceptible odeur, rance, corrompue, qui était celle de son appartement de Paris et dont elle ne pouvait se défaire. Je la serrai dans mes bras avec une ardeur inaccoutumée. Alors elle m'embrassa de nouveau, contente de me trouver si caressante. Les os de ses épaules étaient frêles et saillants sous mes doigts, je voyais maintenant dans son visage les traits menus de Maud et Lise.

– Assieds-toi, me dit ma mère, je te sers un café et puis...

Elle ouvrit la porte du buffet, en sortit une tasse, à l'aise comme chez elle. Ses petits talons de secrétaire diligente s'évertuaient à faire cla-quer le lino sourd et mat.

– Si je suis venue te voir ce matin jusqu'à Poitiers, dit-elle en reprenant sa place, c'est pour te prier de retirer ta demande : il vaut mieux, ma petite fille, que je ne rencontre plus jamais ton père.

– Oh non, non, tout est prêt et il est d'accord ! m'écriai-je.

Je dissimulai sous la table mes mains trem-blantes.

– Je t'en supplie, murmurai-je, tout près des larmes.

Ma mère eut un sourire forcé et m'expliqua calmement :

– J'irai si tu ne crois pas, toi, pouvoir faire autrement que de m'obliger à y aller. Si tu esti-mes que je te dois d'y aller, pour je ne sais quelle raison, écoute, mon petit, j'irai. Mais il y a cer-tains faits que tu ignores.

– Quoi donc ?

Je parlais d'un ton plus léger, tranquillisée par l'assurance qu'elle venait de me donner. Au fond, que m'importait le reste ? Ma mère me servit le café et ouvrit pour moi un paquet de gâteaux secs. Je me rappelai alors qu'elle avait toujours pris grand soin de moi. Elle se rassit et, tandis que je mangeais et qu'elle me regardait avec une vigilance affectueuse, elle me raconta qu'elle et mon père avaient été mariés pendant vingt-cinq ans sans que jamais ce que je savais

(ses pouvoirs, son don) n'ait gêné leur entente,
à la fois parce que mon père était foncièrement
incrédule et parce qu'elle-même, n'est-ce pas,
prenait garde de rien manifester. Elle ne faisait
de prodiges qu'en secret. Elle en faisait, oui, ne
pouvant s'en empêcher car son talent était
immense. Mais, un soir, mon père l'avait surprise, bien malgré lui. Rentrant plus tôt que
d'habitude, il avait aperçu le bout d'une queue
de serpent. Elle n'avait jamais douté qu'il aurait
été facile de le lui faire oublier, tant il était foncièrement sceptique, et d'ailleurs il n'avait rien
dit, n'avait pas crié ni protesté. Il n'avait tout
simplement pas réagi. Elle n'avait rien à lui
reprocher, à dire vrai. C'est elle, ma mère, qui,
sachant seulement qu'il avait vu ce qu'il n'aurait
pas dû voir, avait senti au fil des jours son affection pour lui se muer en frénésie d'anéantisse-
ment. Il allait être puni d'avoir posé son regard
là devant quoi il aurait dû fermer les yeux, quand
bien même il n'y allait pas de sa faute. Elle lui
aurait fait un mal irrémédiable. Cette volonté de
le châtier, de l'estourbir, de le détruire, elle la
sentait s'installer en elle, sans espoir d'apaise-
ment. Elle ne le haïssait pas, non, mais cette part
énigmatique et puissante d'elle-même qui ne se
dévoilait que dans la solitude et l'obscurité, cette
part glacée, souveraine, violente, combattait ses
sentiments habituels de bienveillance à l'endroit
de mon père. Elle aurait bientôt usé de son génie
pour le foudroyer d'une manière abjecte. Le

comprenant, elle était partie, s'était sauvée. Elle avait pris le petit logement que je connaissais et s'était arrangée pour ne jamais revoir mon père, dont elle savait d'ailleurs qu'il s'était fait assez bien à sa nouvelle vie. En fin de compte, n'avait-il pas rêvé de cette issue à leur mariage ? En fin de compte, dit ma mère, souriant, tout n'était-il pas parfait ainsi ?

— Je ne réponds de rien si je revois ton père, voilà ce que je voulais te dire, conclut-elle avec gravité.

Elle posa sur moi un œil froid et mordoré, puis elle se leva, me resservit en café, et son regard redevint le regard tendre et inaltérable de ma mère familière.

— Je suis heureuse d'avoir trouvé Robert, continua-t-elle, car, vois-tu, ton père m'a manqué plus que je ne lui ai manqué, je crois... Malgré tout, ma petite fille, ton père m'a énormément manqué.

À cet instant, Robert entra, venant de la salle d'eau contiguë. Il était en tricot de corps et du savon à barbe moussait sur ses joues.

Les voilà tous deux chez la maman de Pierrot comme chez eux, pensai-je, et elle dort encore à huit heures passées.

Robert tenait un petit transistor contre son oreille. Il semblait en même temps excité et soucieux. Sa poitrine étroite était blême, dépourvue du moindre poil.

— On a assassiné Rabin ! s'écria-t-il.

– Rabine, ce n'est pas possible, quel Rabine ?

La maman de Pierrot avait fait irruption dans la cuisine, en robe de chambre et pantoufles.

– Pas notre monsieur Rabine de la rue Vaillant-Couturier, j'espère ?

– Ecoutez, votre monsieur Rabine de Poitiers, personne ne le connaît et personne ne s'en soucie, dit Robert, impatienté.

– Ouf, j'ai eu peur, fit la maman dans un petit rire. C'est un monsieur très comme il faut, très serviable, et pas si vieux avec ça.

– On a assassiné Rabin, répéta Robert.

Puis il retourna se raser tandis que la maman de Pierrot s'asseyait près de moi à la table. Elle ne paraissait pas autrement surprise de la visite si matinale (ou si tardive, cette nuit ?) de ma mère, qui, si mes souvenirs étaient exacts, mettait les pieds dans cette maison pour la première fois. Toutes deux s'étaient rencontrées à mon mariage treize ou quatorze ans auparavant, et jamais depuis lors. Elles échangèrent amabilités et lieux communs d'usage, les petits yeux vifs de la maman de Pierrot allaient de la table à l'évier puis, satisfaits des tasses lavées, de la cafetière qui s'égouttait, lavée et retournée, revenaient à ma mère en toute confiance. Sa joie était là de nouveau, ressuscitée par la nuit.

– Lili va avoir un bébé, cria ma mère à Robert.

Il passa son torse glabre hors de la salle d'eau et dit :

– Le monde devient fou, il paraît que ce n'est

114

pas un Arabe qui a tué Rabin, on n'y comprend plus rien.

– Il n'y a pas beaucoup d'Arabes à Poitiers, dit la maman.

– Alors, ma petite fille, qu'as-tu décidé ? souffla ma mère.

Robert s'écria, un peu violent :

– Ne me reparlez pas de votre Rabine, madame, il peut crever dix fois, moi, je m'en fiche, ça oui.

– Je ne sache pas que ce pauvre homme, un homme très méritant du reste, vous ait causé du tort, dit la maman avec dignité.

– Le monde devient fou, fit la voix assourdie de Robert, qui ouvrit bruyamment un robinet.

Je répondis à ma mère qu'en dépit de tout je tenais à ce qu'elle rencontrât mon père, le douze juin prochain. Alors elle acquiesça d'un battement de paupières et me pressa la main, mais une petite flamme menaçante irisait son œil sombre. Soudain, la maman parut se rappeler quelque chose.

– Lucie, va donc voir si tes filles et Lili sont bien là-haut, dans la chambre de Lili, me brusqua-t-elle, inquiète.

Elle se leva en même temps que moi, boudinée et vulnérable dans son peignoir feutré. Elle me suivit dans l'escalier en haletant, me devança jusqu'à la chambre qu'elle ouvrit d'une poussée.

– Elles ne sont pas rentrées ! s'exclama la maman.

– Bon, murmurai-je, laissez-leur le temps de revenir.

– Mais d'où ? Où sont-elles allées ? Tu le sais, toi ? Et Lili, dans son état ?

La peau surabondante du vieux visage de la maman sembla tomber d'un coup, s'amasser sous ses joues, tremblotante, anxieuse.

– Que se passe-t-il, Lucie, avec mes enfants ?

Et la maman invulnérable, dure comme un roc, se mit à sangloter de nouveau. Je me détournai, gênée, et redescendis l'escalier. Ma mère n'était plus dans la cuisine. La vaisselle était rangée, la table essuyée, seule l'odeur du café et de la mousse à raser de Robert demeurait. La salle d'eau était vide, propre et embuée.

A l'instant où la maman rentrait dans la cuisine, Lili, Maud et Lise arrivèrent de la rue. Elles se ruèrent chacune sur une chaise, dans le bruit de sabots, la rumeur confuse du bétail parvenu à l'étable. Je songeai que, bien souvent dans le passé, Maud et Lise étaient revenues ainsi d'une sortie entre enfants, et comme j'avais aimé le moment où, affamées, ravies, elles attendaient de reprendre souffle pour tout me raconter. Ce matin, elles se taisaient, le visage impassible et lointain. Lili, très rouge, assurée, regardait la maman.

– Eh bien, voilà, dit-elle doucement, la main sur le ventre, il n'y a plus de bébé.

La maman fit : « Ah », sans comprendre.

– Une autre fois, peut-être, reprit Lili de sa

voix douce, mais là, c'est fini, tu vois, plus de bébé.

Maud et Lise répétèrent en chœur, froidement :

– Plus de bébé, c'est comme ça.

Le visage de la maman s'affaisa un peu plus encore. Elle regarda mes filles avec un air de stupéfaction horrifiée, les doigts devant la bouche, semblable, pensai-je avec embarras, aux personnages des séries télévisées qu'aimaient tant Maud et Lise, à l'instant où l'infamie connue de tous se découvre enfin à eux. Que pouvais-je faire ? Qui pouvait faire maintenant quoi que ce fût pour la maman de Pierrot ? Elle se détourna et, dans un petit bruit de hoquet, trottina vers sa chambre, à l'autre bout de la cuisine, où son lit très haut et très large, dur comme une pierre plate, fait et tiré chaque matin à peine la maman réveillée, avait été choisi pour garder de la noblesse à son cadavre, le moment venu.

Maud se leva et alluma la télévision. Je trouvai à mes petites sorcières une expression renfrognée.

Se pourrait-il qu'elles soient déjà lassées de leur don ? me demandai-je. Ou serait-ce, au contraire, qu'elles ne souhaitaient pas revenir et que, peut-être par égard pour moi encore, elles se sont contraintes à le faire ?

Je me surpris à supplier muettement mes filles de ne pas m'abandonner, mais leur regard fixe, vague, morose, me montrait bien qu'elles étaient parties déjà là où, avec les maigres ressources de mon talent laborieux, je n'aurais jamais accès. Lili murmura :

– Comme je suis fatiguée.

Elle se leva et s'éloigna pesamment vers l'escalier, tenant son ventre à deux mains. Son dos large me rappela celui de la maman, un peu voûté déjà.

– Qu'avez-vous fait au bébé de Lili ? demandai-je alors à Maud et Lise.

Elles ne répondirent pas – m'avaient-elles entendue ? La télévision s'éteignit sans qu'aucune de nous l'eût effleurée et Lise eut un bref sourire.

Peu après dans la matinée, je partis avec mes deux filles en direction de la gare de Poitiers. Maud et Lise marchaient devant, de leur pas léger. Prise du désir soudain de les toucher l'une et l'autre, je les rattrapai, me glissai entre elles et voulus leur prendre la main. Pendant de nombreuses années, lorsqu'elles étaient petites, je ne pouvais jamais me déplacer qu'ainsi encadrée, pensai-je, Lise à droite, Maud à gauche, et cette contrainte m'était parfois pesante. Je tâtai, de chaque côté, le bas de leur manche, saisis quelque chose que je lâchai aussitôt. C'était une aile, le bout d'une aile d'oiseau sombre. Stupidement, je poussai un petit cri d'effroi. Comme si, alors, elles avaient attendu cet instant pour en finir, Maud et Lise m'écartèrent puis, poussant le sol de leurs bottes, d'un même élan s'envolèrent. Je les vis s'élever lentement dans le ciel de Poitiers, monter bien au-dessus des toits les plus hauts, d'un vol un peu maigre et sec de rapace à l'affût. Un nuage les engloutit, mon regard les perdit pour toujours. Car, parmi tous les oiseaux semblables, jamais je ne saurais reconnaître mes oiseaux, me dis-je, les joues couvertes de larmes.

Revenue chez moi, au lotissement, je passai de longues semaines seule dans notre maison désertée avant qu'un jour mon père se décidât à téléphoner.

– Alors, fillette, quoi de neuf ? dit-il d'une voix nerveuse.

C'était le soir et j'aperçus par la fenêtre le mari d'Isabelle qui rentrait chez lui, dans sa grande maison également dépeuplée.

– Question argent, il faudrait que tu te dépêches, reprit mon père, ça commence à chauffer pour moi. Je ne sais plus trop quoi inventer pour m'en sortir, et comme tu m'as dit que tu avais encore les douze millions intacts, tu comprends, et que, de mon côté, je t'ai promis de rencontrer ta mère comme tu le voulais...

Le mari d'Isabelle avait pris un tel coup de vieux depuis le départ d'Isabelle et de l'enfant que j'avais toujours du mal à le remettre au premier regard. Et pourtant, me disais-je, à chaque fois étonnée, elle lui avait mené la vie dure, et lui n'avait pas semblé se soucier beaucoup du petit Steve, à l'époque.

Maintenant il se traînait, honteux et désemparé, évitait les rencontres, ne saluait plus, enfin n'était plus personne dans notre quartier et se laissait oublier, même si l'ombre de ce qu'il avait été, comme ce soir-là, rôdait encore à des heures régulières.

— Eh bien, dis-je à mon père, le cœur battant, il n'est pas question que tu échappes à ta promesse, j'espère. Je te rappelle que c'est dans trois semaines.

— Et je te rappelle, moi, que tu ne m'as toujours pas rendu l'argent.

— Bon, tu vas l'avoir très bientôt, c'est entendu, fis-je d'une voix rassurante. Tu ne me demandes pas comment vont Pierrot et les filles ?

— Tiens, comment vont-ils ?

Mon père se forçait à l'enjouement, mais je le sentais tendu et désireux de raccrocher au plus vite. Je songeai que ce qu'il avait entrevu de Maud et Lise, lors de notre visite précédente, l'avait peut-être convaincu de nous garder, dorénavant, à l'écart de sa nouvelle vie, encore qu'il fût possible qu'il n'ait pas cru à ce qu'il avait vu.

— Tout le monde va très bien, répondis-je, et pour Maman, tu sais, je suis sûre que son Robert ne fait pas le poids à côté de toi. Tu lui manques beaucoup.

— Moi, ne put s'empêcher de dire mon nouveau père, j'ai des consolations de mon côté et je peux t'assurer qu'elles font le poids.

– A bientôt, je t'enverrai ton billet de train, criai-je, en colère.

Puis, toujours émue, je fermai les rideaux et m'assis sur notre beau canapé afin de tenter une nouvelle fois de voir Pierrot. Je m'y essayais en vain depuis mon retour de Poitiers, ne distinguant que les contours de son visage, pas même ses traits, et rien autour qui m'aurait permis de deviner où il se trouvait. Il me semblait chaque jour que mon talent s'étiolait un peu plus – en quoi, me demandais-je alors, n'étais-je pas faite pour être une bonne sorcière ? Et-ce que je manquais de volonté, de fureur et de rage ? Il me manquait par trop, me disais-je, le goût du pouvoir et le dégoût de la fatalité. Ce soir-là, pourtant, comme je venais de parler à mon père méconnaissable et qu'une certaine irritation tardait à me quitter, la figure de Pierrot se détacha nettement. Je la trouvai légèrement empâtée, les joues noircies d'un peu de barbe, adoucie, reposée. Les yeux de Pierrot fixaient la route devant lui, il conduisait calmement. Je songeais à ce que m'avait raconté sa maman mais je devais bien constater que Pierrot, en cet instant, avait l'air paisible et serein, plus tranquille que je ne l'avais jamais vu. Sa voiture pénétra dans une agglomération et, à la lueur des phares, le panneau m'apparut fugitivement : BOURGES. Puis je suivis Pierrot vers un groupe d'immeubles, à quelques minutes du panneau que j'avais vu, il gara la voiture, descendit, marcha placidement vers l'entrée du bâtiment le plus proche, en père de famille qui rentre chez lui comme chaque soir depuis des années. Il poussa la porte vitrée et ma vision s'interrompit. Je demeurai un long moment sur notre canapé, sans prendre la peine d'essuyer mes joues, me demandant si Pierrot était blâmable de nous avoir abandonnées, si Maud et Lise étaient blâmables de m'avoir faussé compagnie, si j'étais blâmable, moi, d'avoir laissé en plan la maman de Pierrot. Mais qu'aurais-je pu faire ? Et Pierrot, qu'aurait-il pu faire d'autre que de s'éloigner de nous, auprès de qui il avait été toujours comme un expatrié contraint et fulminant ? Immobile dans l'obscurité, je guettais un bruit d'ailes, le tac-tac d'un bec au carreau. J'attendais vaguement le retour de mes oiseaux, comprenant pourtant que leur choix était fait. Mais je tendais l'oreille. Qui sait ? me disais-je, transie de peine et de mélancolie.

Le lendemain, je pris le train pour Bourges, confuse et gênée de sembler pourchasser Pierrot mais ne voyant pas d'autre moyen de remettre la main sur l'argent de mon père. Je parcourus à pied les quelques kilomètres qui séparaient la gare de la cité où j'avais vu Pierrot arriver, la veille, comme chez lui. Et, après avoir traversé de vastes zones de magasins et d'entrepôts aux noms souvent identiques à ceux de notre petite ville, au point qu'à un moment la tête me tourna et que je me demandai si j'étais bien à Bourges

122

et non plus chez nous, je m'arrêtai, épuisée, devant le premier bloc d'immeubles du quartier de Pierrot. Déjà la nuit tombait, les voitures filaient sur la route à quatre voies qui séparaient ces faubourgs du secteur tout illuminé des super-marchés. Je contemplai un instant le nouveau lieu d'habitation de mon mari, un long bâtiment sans balcons, aux fenêtres minuscules dont les vitres de certaines étaient remplacées par des bouts de plastique flottants. Un petit vent froid soufflait sur Bourges (mais qu'est-ce que c'était que Bourges ? Je n'en savais rien – d'ailleurs, étais-je bien à Bourges ?) et le vacarme de la route me faisait trembler de haut en bas. Je reconnus soudain sur le parking la voiture de Pierrot, immatriculée dans notre département. Et lui qui, depuis que je le connaissais, avait toujours pris un soin extrême de ses voitures successives, avait laissé celle-ci se maculer de poussière, de boue séchée, elle avait même, sur l'aile avant, un renfoncement qu'il n'avait pas fait corriger. J'aperçus alors deux sièges d'enfant sur la banquette arrière.

– Oh, mon Dieu, murmurai-je, me rappelant que Pierrot, ne supportant qu'un habitacle immaculé, avait toujours détesté transporter des petits.

Je ramassai mon sac et me dirigeai vers l'entrée de l'immeuble, m'appuyai sur la porte vitrée que Pierrot devait pousser chaque jour en se félici-tant d'avoir changé d'existence. Le hall aux boîtes à lettres avait des murs verdâtres et crasseux, un néon empoussiéré comme unique éclairage. Je trouvai notre nom, accolé à un autre nom d'un aspect singulier, hérissé de nombreuses consonnes comme autant d'obstacles décourageants. Je pris l'ascenseur jusqu'à l'étage indiqué sur la boîte et là, tandis que j'hésitais sur le palier obscur, vaguement nauséabond, une porte s'ouvrit brutalement.

– Qu'est-ce que vous voulez ? me demanda un garçon en remontant son jean d'un mouvement sec.

Il avait une dizaine d'années, un regard curieux et bienveillant.

– J'ai entendu l'ascenseur, c'est nous que vous voulez voir ?

– Je cherche Pierrot, fis-je alors.

– Il regarde la télé, dit le garçon.

Et, comme si cette confidence ne pouvait plus laisser subsister entre nous de méfiance ou de soupçons impolis, il m'ouvrit tout grand, puis, sans m'examiner davantage, sans refermer la porte, galopa vers l'intérieur de l'appartement en clamant :

– Pierrot, y a une bonne femme qui veut te voir, je lui ai dit que tu regardais la télé.

Je le suivis dans un couloir sombre, encombré de chaussures et de vêtements qui pendaient aux cloisons.

– Je lui ai dit, comme ça : Il regarde la télé ! répétait le garçon fièrement, parvenu dans la

124

pièce, au bout du couloir, au seuil de laquelle je m'arrêtai, interdite.

Enfoncés dans un vieux canapé orange, Pierrot et une femme au visage large et plat se tenaient par l'épaule. Une toute petite fille mangeait du pop corn, à cheval sur un bras du canapé.

– Tiens, ben ça alors, dit Pierrot en s'écartant lentement de la femme.

Un autre garçonnet remuait sur une chaise, bras et jambes dressés pour se donner l'illusion de voler. La femme m'observa d'un œil amène et objectif, puis elle se leva, tira sur son pull, baissa le son de la télévision, dit gentiment :

– Je vais faire du café pour tout le monde, hein.

Elle pinça l'oreille de l'aîné des garçons, celui qui m'avait ouvert la porte, et se sauva dans la cuisine en faisant claquer ses mules. Le garçon beugla de rire et esquissa le geste de lui balancer un coup de poing.

– Viens-y, M'man, viens-y ! brailla-t-il, sautillant sur ses jambes fléchies.

– Bon, ben, qu'est-ce que tu attends pour t'asseoir ? grogna Pierrot dans ma direction.

Mais il abandonna subitement l'air surpris, contrarié et outragé que je lui connaissais bien et qui, de prime abord, m'avait confirmé que cette face barbue, presque rondouillarde, ne pouvait qu'être celle de mon mari. Pierrot m'adressa un sourire tranquille et doux. Je pris place sur une chaise et songeai, mal à l'aise, qu'il avait une étonnante expression de bonté confite. Il se pencha soudain et tapota les fesses de l'enfant qui faisait l'avion. Puis il se rejeta sur le canapé, me regarda avec défi. Je ressentis alors à quel point la chaleur de l'appartement, l'odeur du café, m'alourdissaient agréablement. Je me dis qu'il serait encore temps tout à l'heure d'aborder la raison de ma visite, et j'émis un petit rire approbateur et courtois. J'allai même jusqu'à espérer qu'on me proposerait de passer la nuit. D'un seul coup, la fillette bascula sur le canapé et, sa petite tête ronde entre les genoux de Pierrot, allongée sur le dos dans une position de grande méditation, continua de grignoter, pensivement. Pierrot lui posa la main sur le ventre, la chatouilla. L'aîné des garçons trépigna jusqu'à moi, les poings ramassés devant la figure, et, alors qu'une grosse croix de bois sautait hors de son pull et se mettait à danser sur sa poitrine, attachée par une ficelle de cuir, il cria d'une voix aiguë :

– Et hop, un direct, et hop, hop, hop, K.O. debout ! Viens-y pour voir !

J'étendis les jambes et, ramollie, confiante, ouvrit ma veste. Le raffut de la circulation, au pied de l'immeuble, comme un bruit de conversation, semblait pouvoir dispenser de parler. Je songeai vaguement que l'appartement paraissait trop chauffé, la moquette au sol trop épaisse et poussiéreuse.

Si je pouvais me faire inviter, me disais-je pourtant, accablée à l'idée de repartir dans la fraîcheur et la nuit.

— Ces enfants sont bien mignons, murmurai-je en souriant vers Pierrot.

— Des gosses formidables, dit Pierrot.

Il prit la main de la fillette et la pressa sur son début de barbe. Il ne quittait pas son air bienfaisant, calme, exemplaire. Pour mettre les choses au net, je lui lançai à voix basse :

— Ne crois pas que je suis venue pour essayer de te ramener ou te tracasser. C'est juste pour l'argent, Pierrot, car mon père a des ennuis, des dettes énormes. Si tu pouvais me rendre cet argent, tout serait réglé, moi, je ne veux pas t'embêter.

J'ajoutai avec conviction :

— Je vois bien comme tu es heureux ici.

— Elle veut mon fric, dit tranquillement Pierrot à la femme qui revenait avec le café.

— Elle croit qu'on vit avec quoi, je me le demande, reprit-il.

Et il eut un gentil sourire magnanime, comme si, n'ayant jamais rien entendu d'aussi stupide, il était prêt cependant à me pardonner pour ma sottise. Je me sentis rougir d'une manière ridicule. La femme s'arrêta, son plateau entre les mains. L'expression amicale, miséricordieuse et décontractée du visage de Pierrot se retrouvait, décuplée, épurée, sur son visage à elle, pourtant usé et comme lavé par des années de difficultés. Elle eut un sourire bon et vide.

– Pierrot se donne du mal pour trouver du boulot, dit-elle, mais c'est qu'il n'y a rien à faire à Bourges. Il prend sa voiture tous les jours et ça finit par coûter de l'essence.

Elle dégagea une petite table surchargée de magazines, servit le café dans des quarts tout bosselés. Soudain le petit garçon glissa de sa chaise et roula sur la moquette. Pierrot allongea le pied, poussa l'enfant loin de lui, sans douceur, mais ses lèvres restaient lisses, molles et prêtes à sourire. Il continuait de grattouiller le ventre de la fillette, machinalement. Je fis un effort pour paraître conciliante.

– Il n'y a pas de Garden-Club à Bourges ? demandai-je, raisonnable.

– Qu'est-ce que c'est que ça, le Garden-Club ? fit Pierrot. Elle parle de quoi, maintenant ?

Il feignait d'interroger la femme, qui secoua la tête avec un grand sourire de compréhension du monde entier. Elle me tendit un quart brûlant d'un geste plein d'égards. Son fil aîné bondit auprès du petit resté à terre et lui allongea un coup de poing dans les côtes, puis un second dans l'estomac. L'enfant gémit, inerte, abruti de chaleur et de fatigue. Le grand hurla, piétinant la moquette sale :

– Relève-toi, minable, en place pour le deuxième round ! Dix, neuf, huit...

– Ecoute, me dit Pierrot sur son ton posé, tu gardes la maison qui vaut dans les cinq cent mille. Quand tu la vendras, tu me devras encore ma part moins les cent vingt mille : treize bâtons. Hein, c'est bien ça ?

– L'essence est chère en ce moment, dit la femme. Mais Pierrot a beau prendre sa voiture tous les jours, qu'est-ce que vous voulez qu'il trouve, à Bourges ?

– Mais la maison n'est pas payée, murmurai-je, le nez dans mon café. Tu sais bien qu'on a encore neuf ans de remboursement, alors ?

Pierrot resta silencieux. Il ne put retenir un froncement de sourcils, un pincement de lèvres. Et il me sembla lourd, immobile, menaçant. Je me demandai pourquoi cette femme extasiée et rompue avait introduit chez elle, dans ce petit appartement, une telle masse de péril et de confusion. Je me demandai avec étonnement ce qu'elle lui trouvait : Pierrot avait maintenant la peau luisante, un ventre mou, il suintait l'ennui et le peu de sûreté. Je me sentais gênée et fâchée, voyant bien qu'il entendait conserver l'argent à grand renfort de mensonges, de pauvres roublardises. J'avalai mon café et reposai brusquement le quart. La femme me regardait avec compassion, pourtant confiante en la position de Pierrot.

– Et la traite du mois prochain sur la maison, repris-je, comment crois-tu que je vais la payer ?

– Qu'est-ce que tu veux que je te dise ? Il faut bien nourrir ces trois gamins, leur acheter des vêtements, des chaussures, des cahiers, je ne sais quoi encore, soupira Pierrot.

Et la femme déclara, presque virulente :

– Il faut croire en la vie.

– Alors, tes filles ? Maud et Lise ? avançai-je.

Mais je le regrettai aussitôt et reculai sur ma chaise. La pâle et grasse figure de Pierrot se crispa de dégoût. Il fut sur le point de cracher, ravala sa salive, puis il s'essuya la bouche du revers de la main.

– Ces saletés de petites sorcières ! siffla-t-il en me lançant un coup d'œil haineux.

Il se leva brutalement et s'écria, évitant de s'approcher de moi :

– Ma vie est ici, qu'on me fiche la paix ! Maintenant, tu débarrasses le plancher et tu te débrouilles pour le reste avec tes sacrés petits moyens diaboliques !

– Mais ils sont médiocres, dis-je, ils ne valent rien, tu le sais.

Il rugit :

– Non, je ne sais rien du tout et je ne veux rien savoir. Tais-toi, plus un mot là-dessus, va-t'en !

Comme les enfants roulaient des regards inquiets, je me dressai en hâte et filai vers le couloir. J'entendis claquer derrière moi les mules de la femme et, au moment où j'ouvrais la porte, elle m'effleura l'épaule.

130

– Nous pénétrerons tous dans Son royaume, n'ayez pas peur, dit-elle avec un sourire légèrement craintif.

Mais elle referma le battant vivement, me laissant à peine le temps de franchir le seuil.

Parvenue en bas, sur le parking glacial, je levai les yeux vers les fenêtres de la nouvelle famille de Pierrot. Le grand garçon avait collé son nez à la vitre, il me fixait, l'œil exorbité, et soudain fit mine de m'envoyer un magnifique coup de poing. Puis il appuya ses ongles au carreau. Il grimaça et je compris qu'il faisait : Tss, tss, comme pour chasser un démon. Très ennuyée, je repris la route que j'avais suivie à l'aller. J'étais irritée contre Pierrot.

Il doit penser que je cours après lui, me disais-je, et que l'argent n'était qu'un prétexte pour le revoir.

Je me demandais de quelle façon j'allais pouvoir mentir à mon père afin qu'il se rendît à l'Hôtel de la Plage avant d'avoir reçu le moindre chèque, je relevais mon col pour me protéger du froid piquant de Bourges, quand une grosse voiture ralentit à ma hauteur.

– Je peux t'avancer ? lança une voix joyeuse.

Je me penchai vers la portière et reconnus Isabelle. Abasourdie, légèrement effrayée, j'hésitai à monter sur-le-champ, mais Isabelle m'encourageait de vigoureux hochements de tête. Elle ouvrit la portière de mon côté et s'employa à faire vrombir son moteur, impatiemment. Alors je contournai la voiture en hâte et me glissai sur le siège.

– Bien contente de te revoir, dit Isabelle de sa voix rude.

Ses cheveux étaient coiffés avec soin, blondis et fixés en boucles courtes. Isabelle portait une jupe et une veste de lainage, couleur pêche. Je reconnus ses petits yeux curieux, sa bouche méfiante, néanmoins toute son allure semblait maintenant pleine de l'assurance bourgeoise, urbaine, qui lui avait fait défaut, ce qui me donna l'impression que ma dernière rencontre avec Isabelle remontait à de nombreuses années.

– Où allais-tu comme ça, dans ce froid ?

– A la gare, dis-je avec un petit soupir.

– Et si tu m'accompagnais à Châteauroux ? proposa Isabelle, agréable, désinvolte.

Je ne répondis pas tout d'abord et Isabelle ajouta qu'elle venait de Paris, elle s'y rendait parfois pour ses affaires. Je lui demandai des nouvelles de Steve, elle eut une moue décontractée.

– Il n'y a pas de raison qu'il aille mal. Je n'ai pas eu le temps d'aller le voir, dans cette espèce d'école qui me coûte les yeux de la tête, je peux le dire.

Et elle lança une somme énorme, puis me regarda en coin. Elle me donna également le prix de sa voiture, une toute récente acquisition, et le prix des accessoires innombrables qu'elle avait exigés.

– Le tout comptant, je n'ai pas de dettes, conclut-elle avec satisfaction.

Pour la flatter, j'émis un grommellement admiratif. Sa veste claire, soyeuse, l'extrême finesse de son collant que je voyais enveloppant son genou robuste, l'élégante odeur de laque ou de gel qui flottait tout autour de sa tête parée, frisée, gonflée, enfin le parfum de cuir neuf et de plastique poli qu'exhalait mon siège moelleux, tout cela me vidait de mes forces et de mon mécontentement. Il me sembla qu'Isabelle s'exprimait avec plus de précaution, en s'efforçant d'articuler et d'éviter les grossièretés finales. Le chauffage tournait à fond dans la voiture, un vent mauvais sifflait dans les rues désertées de Bourges.

– Alors, et Châteauroux ? me demanda Isabelle, comme nous passions lentement devant la gare. Je fis : Bon, bon, prudemment, incapable de bouger, mes deux pieds en plein sous la source de chaleur. Isabelle se gara, puis se tourna vers moi, rayonnante de succès. Elle portait un chemisier à jabot de dentelle, une ceinture étroite à la boucle dorée. Elle prit ma main glacée dans la sienne, massive et moite, et se décida à m'expliquer d'où lui venait tant d'éclat.

– J'ai monté ma petite affaire, commença-t-elle en ricanant.

La société en question avait pour nom : UNIVERSITÉ FÉMININE DE LA SANTÉ SPIRITUELLE D'ISABELLE O. Isabelle recevait ainsi, pendant un semestre ou deux suivant les possibilités financières des familles, une trentaine de jeunes filles de Châteauroux et des alentours (il en venait jusque de Bourges et d'Orléans, m'assura-t-elle) qu'elle logeait somptueusement, nourrissait avec frugalité, et à qui elle faisait dispenser par plusieurs dames soigneusement choisies des cours variés, aux titres énigmatiques comme, cita Isabelle dans un nouveau ricanement malveillant, Apprentissage des couleurs thérapeutiques, Connaissance approfondie de soi, Découverte progressive du muscle inconnu. L'université d'Isabelle était réservée aux femmes âgées de dix-huit à vingt-cinq ans, et le cuisinier qu'elle employait était le seul homme de la maison. Isabelle me jura avec orgueil qu'elle n'avait pas mis un centime de sa poche dans cette juteuse affaire : elle avait su convaincre les différentes instances administratives du département et de la région d'avancer les fonds importants qu'il lui avait fallu pour la location des bureaux et de l'internat, pour l'engagement des professeurs et du personnel, pour les pages de publicité dans la presse locale. Elle avait dû, dès le départ, refuser des inscriptions et imposer une stricte limite d'âge, car sa campagne promotionnelle avait réussi au-delà de ses espoirs les plus déraisonnables.

— Je demande huit mille francs par mois, tout compris, précisa Isabelle.

Et elle ajouta que, d'un certain point de vue,

ce n'était pas grand-chose, elle eut un air de regret, puis me dit qu'il y avait une place pour moi dans son établissement, parlant ainsi, comme je le compris tout de suite, de la divination. Elle appellerait mon cours, dit-elle : Connaissance objective du passé et de l'avenir pour soi-même et les autres. Cette matière manquait à l'université, elle le sentait bien. Toutes ces jeunes filles étaient curieuses, inquiètes, avides de sciences nouvelles, particulières, qu'elles ne pénétreraient qu'à demi, qui leur feraient entrevoir des mondes intimidants. Je pourrais leur apprendre tout ce que je savais, et même le reste, déclara Isabelle, un peu triviale. Si j'étais d'accord, ce serait pour moi autour de dix mille francs de salaire, sans frais puisqu'elle m'offrait la chambre et les repas composés de fruits, de légumes et de céréales. Voilà, conclut-elle, ce qu'elle m'apportait, pour ainsi dire, sur un plateau, voilà ce qu'elle me proposait à Châteauroux.

Elle se détourna avec un petit soupir de plaisir et d'impétuosité, jeta un rapide regard ennuyé sur la place de la Gare, tandis que, indécise, tentée et l'esprit vide, je pensais à notre grande maison froide, impayée, devant laquelle passait peut-être à cet instant la morne silhouette accablée du mari d'Isabelle, dans le lotissement de notre petite ville. Le nom de Châteauroux luisait comme une pelisse bien chaude, comme une fourrure au poil resplendissant. J'eus un léger hochement de tête. Aussitôt Isabelle démarra en faisant hurler l'embrayage.

– Châteauroux, Châteauroux, murmurai-je, enchantée des fulgurances de lumière ambrée qui jaillissaient de ces trois syllabes.

Nous quittions Bourges à dangereuse vitesse. Isabelle enfonçait ses pédales avec une tranquille et virile assurance, un peu entravée par sa jupe de dame mais supportant celle-ci, me semblait-il, comme le travestissement indispensable à sa réussite. Elle ne me fit pas de questions sur Maud et Lise, ni sur Pierrot, et je pensai qu'elle ne se souvenait sans doute pas d'eux. Elle jacassait fièrement. Elle était à tu et à toi avec toutes les huiles du département, on la conviait au moindre vernissage, à toutes les parlottes qui avaient lieu à droite et à gauche. Certaines jeunes femmes lui demandaient conseil pour leurs cheveux ou leurs vêtements. Le journal régional publiait sa photo dans une sorte de rubrique mondaine, établissait qu'elle était ravissante et parfaitement blonde.

– Un de ces jours, je ferai descendre Steve pour un week-end, lança-t-elle, généreuse.

J'osai alors lui demander si elle était bien la corneille que j'avais vue à deux reprises, d'abord chez nous, près de la gare, puis toquant à la fenêtre de l'appartement de ma mère, à Paris.

C'est une question qu'on ne doit pas poser, me dis-je cependant, aussitôt après avoir parlé.

Je rougis de honte, stupéfaite de mon incor-

136

rection. Isabelle haussa les épaules, elle gloussa et s'exclama, incrédule :

– Eh, tu ne marches tout de même pas dans ces fadaises ? Nom de Dieu, une corneille ?

Comme je lui adressais un sourire piteux, elle ajouta que le titre des cours qu'elle avait évoqués ne signifiait pas qu'elle accordait, elle, le moindre crédit à ces prétendus savoirs ésotériques.

– Quel boniment, si tu savais ! s'écria-t-elle avec ravissement. Mais il n'y a rien qui paie mieux, en ce moment.

Puis elle me jeta un regard surpris et presque soupçonneux.

– Qu'est-ce que c'est que cette histoire de corneille ? Bon sang, Lucie, tu te rends compte, une corneille !

Je lui tapotai doucement le bras en ricanant comme elle le faisait, pour qu'elle crût à une plaisanterie, et Isabelle me fit apprécier la grande délicatesse du tissu de sa veste. Mais je pensais à mes corneilles invisibles, disparues, confondues avec toutes les corneilles qui traversaient le ciel de leur vol déplaisant, et ma joie d'être au chaud s'évanouit aussitôt.

Et si elles étaient, toutes, des filles comme Maud et Lise, me dis-je alors, de petites sorcières consommées qui ont pris leur envol ?

Je baissai le menton pour qu'Isabelle ne me vît pas au bord des larmes. Plusieurs notables de Châteauroux, affirmait-elle, étaient prêts à lui offrir très gros en échange d'une place pour leur

137

fille à l'Université de la Santé Spirituelle, marchandage qu'elle refusait absolument, par honnêteté. Elle n'était pas non plus de ceux qui
s'acharnent à ne pas vouloir payer leurs impôts.
Car ses parents, disait Isabelle d'un ton respectueux, l'avaient élevée dans les principes de la
République. Elle donna un petit coup sec à
l'accélérateur et claironna :
– Vive la République, vive la France, vive la
Santé Spirituelle !

L'établissement d'Isabelle était logé dans un
luxueux et moderne complexe de verre et d'aluminium coloré, dans la zone artisanale de Châteauroux, entre un concessionnaire de voitures
et une marbrerie, et juste au-delà s'étendait la
plaine, aussi loin que portait le regard. Isabelle
m'installa dans une chambre de professeur, un
vaste cube lisse et gris dont les immenses fenêtres
donnaient sur les champs. Des tunnels de verre
reliaient les différentes parties de l'université, un
ascenseur vitré grimpait au flanc du bâtiment
principal où se trouvaient l'appartement d'Isabelle, son bureau et les salles de cours. Une longue étendue d'herbe gagnée sur la campagne
s'appelait : Prairie de la Méditation. Isabelle
avait le projet d'y faire installer quelques tipis
ornés d'inscriptions symboliques, sous lesquels
les étudiantes devraient venir se recueillir, et les
pensées ainsi évoquées seraient l'objet d'un
devoir de fin de semestre, à titre optionnel.

Isabelle me prêta trois tailleurs bien coupés et me présenta à mes collègues. Nous étions dans le réfectoire, les hauts blés du champ voisin venaient frôler les parois vitrées tandis que, de l'autre côté, on apercevait les capots éblouissants, les longs toits miroitants des voitures du parc automobile. Huit ou neuf femmes vêtues comme moi, comme Isabelle, d'une veste et d'une jupe courte, me dirent leur nom et le titre du cours qu'elles donnaient. Isabelle m'approchait de chacune en me tenant le coude, discourant sans arrêt, ricanante, épanouie. Elle avait un mot aimable et creux pour chaque professeur et vantait inutilement mes qualités, se répétant. Je regardais mes collègues avec gêne. Quelque chose d'humble, de flétri, une fatigue précoce et tendue, tirait leur visage, leur cou un peu maigre (Isabelle était la seule qui fût dodue et florissante) et, sous le fard délicat, sous la poudre fine, il me semblait que c'était là des figures de pauvres filles, déguisées en professeurs par le miracle de la virtuosité d'Isabelle mais incapables de dissimuler tout à fait une débine irrémédiable, un guignon poisseux, temporairement freiné. Mon regard accrocha, au-delà du mur vitré, l'emblème rugissant de Peugeot – je me demandai alors si j'avais maintenant le même visage que ces jeunes femmes fanées, flottantes, aux cheveux teints, blonds ou roussâtres. Comment était-il possible, me demandai-je, avec ces visages de misère, de faire illusion auprès des familles aisées de Châteauroux, de Bourges ou d'Orléans ?

Isabelle expédia tout le monde dans sa chambre et il m'apparut qu'elle était ferme et preste dans la direction de ses employées.

– Je les ai sorties des ennuis, me dit-elle négligemment, elles me sont toutes reconnaissantes de leur avoir offert une place ici. Et tu as vu comme je les habille ? Pas de différence avec moi, pour ainsi dire.

Elle éclata de rire et je reconnus son rire ancien, lourd, guttural, un peu méchant, qui m'intimidait si fort encore que je souris automatiquement, craintivement. Isabelle avait fait remplacer ses molaires manquantes par de gros morceaux d'or pur.

– J'ai recruté par les petites annonces, hoquetait Isabelle, tordue de rire, je disais simplement que je voulais des femmes jeunes et désorientées, dans une situation difficile, quoi. Si tu avais vu tout ce qui s'est présenté ! La queue traversait le champ entier, jusque là-bas, mes malheureuses se perdaient dans le maïs, il y a eu de la bagarre, le fermier s'est plaint. Si tu les avais vues, toutes ces filles perdues qui espéraient être professeurs, certaines ont poireauté toute la journée dans le champ. Celles que j'ai choisies, eh bien, personne ne se soucie d'elles, à part moi. Elles ont toutes été battues, elles ont un mari et des enfants quelque part mais personne ne sait si elles sont encore en vie ou non, et tout le monde s'en moque. C'est ce qu'il me fallait pour la Santé Spirituelle. Dis-moi, Lucie, reprit Isabelle sur un ton sérieux, est-ce que quelqu'un se soucie de toi ?

La bouche étroite d'Isabelle retrouva son pli méfiant, cauteleux, et elle me jaugea d'un œil sec, son large visage irréprochablement doré et gratté sous le dur petit chapeau de ses bouclettes blondes. Je l'assurai que j'étais seule au monde, car mes parents eux-mêmes avaient refait leur vie loin de moi. Ce disant, je me rappelai la promesse faite à mon père. Je songeai alors que je pouvais, sans trop de scrupules, lui mentir légèrement afin de m'assurer qu'il ne manquerait pas le rendez-vous avec ma mère. Je demandai à Isabelle la permission de téléphoner. Elle m'accrocha le bras et me conduisit dans un coin du réfectoire, me serrant un peu trop fort de ses doigts bagués (de fins anneaux d'or ornés de pierres semi-précieuses), puis resta devant moi, attentive, maternelle, tandis que je composais le numéro de mon père, à Paris.

— Ah, c'est toi, fillette, s'exclama-t-il d'une voix légère.

Jamais, me dis-je, il ne m'avait appelée ainsi lorsque j'étais enfant ni ne m'avait parlé avec autant de détachement.

— Et le chèque ? J'attends toujours ton chèque, ma petite.

— Va voir Maman le douze juin, je te l'envoie

aussitôt après, soufflai-je, rougissant d'être entendue d'Isabelle.

Le lion bleuté de l'enseigne au-dehors semblait jaillir du crâne d'Isabelle, la plaine d'un côté et, de l'autre, les voitures à perte de vue étincelaient pareillement, le blé jaunissant, les capots et les toits aux couleurs métallisées, irradiantes.

– Ça ne me convient guère, ce n'est pas ce dont nous étions convenus, le temps presse, protestait mon père.

– Bon, tu ne vas pas te mettre à discuter.

Comme je raccrochais, embarrassée, Isabelle m'étreignit.

– Maintenant, ta famille, c'est la Santé Spirituelle, me dit-elle avec une douceur inattendue.

Je me sentis alors de l'affection pour cette fille puissante. Et, tandis qu'Isabelle, en signe d'engagement, déposait sur mon front un froid petit baiser, tandis que le soleil printanier de Châteauroux faisait miroiter jusqu'à l'insoutenable le champ de chrome, de verre et d'acier, comme les blés jaune pâle que n'arrêtait au loin nulle haie, je songeai dans un curieux sursaut de plaisir et d'espoir que j'allais peut-être trouver à l'Université Féminine une forme de bonheur.

– Si seulement mes parents pouvaient comprendre, le douze juin, qu'ils se sont fourvoyés, dis-je tout haut.

Isabelle me repoussa et, fronçant les sourcils,

secouant lentement la tête et feignant la déception, déclara :

– Chez moi, plus personne n'a de parents ni
d'enfants. Oublie tout cela, imite-moi donc.
Est-ce que je te parle de Steve, ce petit boulet ?
Tiens, je dois même faire un effort pour me rappeler son prénom. J'ai oublié son visage, pfuit,
envolé ! Tout s'envole, tout s'oublie !

Puis Isabelle me tapota la joue en faisant : Ttt,
tt...

Elle m'attribua une salle de classe dès le lendemain de mon arrivée, une large pièce aux murs
vitrés comme le réfectoire, par lesquels on
n'avait vue que sur les voitures et les blés.
J'endossais mon costume pêche et descendais
toutes les deux heures donner ma leçon aux étudiantes, croisant depuis ma chambre les autres
professeurs qui remontaient d'un cours ou s'y
rendaient, les unes laissant se répandre sur leurs
traits flapis l'ennui et la fatigue qui les habitaient,
les autres allumant machinalement dans leur
regard l'éclat mystique, épris, insensé, qu'Isabelle exigeait des professeurs à l'entrée de chaque cours. Les premières, celles qui revenaient
à leur chambre, préparaient une cigarette. Muet-
tes, elles me saluaient avec indifférence, la bouche amère, désabusée, l'œil circonspect. J'avais
compris qu'Isabelle n'autorisait pas les visites de
chambre à chambre, aussi échangeaient-elles
quelques mots sur le pas de leur porte, puis cha-

cune se hâtait de rentrer chez elle pour fumer rapidement avant de redescendre.

Comme l'avait prévu Isabelle, un grand nombre de jeunes filles s'inscrivit à mon cours. Il fallut ajouter des chaises, et je fus surprise et presque effarée, la première fois, de voir se masser autour de moi jusqu'à me frôler de leurs genoux tant de filles impatientes et pleines de confiance en mes capacités, dont les fraîches figures saines et amènes d'enfants bien soignées (beaucoup de professeurs avaient la peau grêlée sous le fond de teint) se tendaient vers la mienne avec l'air d'abandon honnête de belles fleurs choyées. Il me sembla alors que toutes ces jeunes filles ressemblaient à Maud et Lise et ma gorge se serra. Je les contemplais avec étonnement. Elles portaient des bottines lacées, de gros pantalons de toile, des chandails lâches, et dans la clarté aveuglante, comme striée d'éclairs métalliques et de luisances dorées, mes étudiantes posées et attentives me parurent d'une réalité difficilement croyable. Je me demandai, un peu abasourdie, ce qu'elles espéraient de la divination. Et pouvais-je enseigner mon malheureux don à cette trentaine de visages divers, inconnus, à ces petits visages toniques et ignorants que des couples prospères chérissaient dans les maisons du centre de Châteauroux, de Bourges ou d'Orléans ?

Cependant les jeunes filles attendaient, aussi je commençai, timidement, en tâchant d'entre-

144

voir l'existence passée de l'une d'entre elles, pré-
nommée Lise. Je perçus à grand-peine une atmosphère d'aisance, je distinguai des roses, un parc
floral, quelques détails triviaux qui m'épuisèrent
mais qui ravirent cette nouvelle Lise aux cheveux
droits et bruns comme ceux de ma petite corneille. Elle s'écria que c'était exactement cela.
Elle tourna vers la salle sa jolie figure étroite,
sombre, la chair nourrie et cultivée délicatement
de ses joues veloutées, et confirma avec enthousiasme que tout ce que je lui avais dit était exact.
Je m'étais empressée de tamponner mes yeux
afin que nulle ne vît l'eau rosie (si pâle mainte
nant, me semblait-il) qui voilait mon regard. Plusieurs jeunes filles levaient le bras. Lise me pria
de ne pas abandonner encore son cas et de lui
parler du plus important, ce que lui réservait
l'avenir. Les autres piaffaient. Leurs genoux
aigus se cognaient aux miens, leurs visages pleins
et clairs frissonnaient d'impatience. Je devrais
donc, compris-je, consacrer mes heures de cours
à l'élucidation du futur de mes étudiantes.
L'ampleur et la difficulté de la tâche me terrifiè-
rent, car il était manifeste que la faible puissance
de mon pouvoir n'y résisterait pas. Le seul exa-
men de la vie de Lise me brisait. Et, me dis-je,
comme c'était ennuyeux. C'était éreintant,
c'était à mourir d'ennui. Je fermai les yeux pendant quelques secondes. Que me faisaient toutes
ces existences auxquelles il me fallait sacrifier
mon énergie, quelle importance et quelle espèce

d'intérêt pouvaient avoir pour moi les petits mystères de leurs destinées ?

– Réveillez-vous ! s'exclama Lise à qui je n'avais encore rien dit.

Je fis effort pour me concentrer du mieux que je pouvais et lui parlai vaguement de collines, de sapins, d'enfants aux cheveux noirs, de cigarettes sans filtre embouchées dans un long fume-cigarette d'ivoire, comme on n'en voit plus guère.

– Je ne fume pas, protesta Lise avec un petit rire contraint.

Les filles murmuraient d'un ton désapprobateur. Je haussai les épaules, trop exténuée pour ajouter quoi que ce fût. Néanmoins, Lise semblait satisfaite. Je terminai là mon cours, séchai mes yeux correctement et montai me reposer avant l'heure du cours suivant.

Au bout de quelques jours, il m'apparaissait que, si je désirais faire mon trou à l'Université Féminine, il me fallait trouver le moyen d'une technique indolore, qui contente mes étudiantes sans me vider de mes forces. C'est alors que je commençai à imaginer de toutes pièces ce que je présentais aux candides jeunes filles comme de sûrs éléments de leur vie passée ou à venir. Et leur foi dans le sérieux de l'établissement d'Isabelle était si grande qu'elles ne me contredirent jamais, seulement surprises parfois de ne pas se rappeler aussi bien que moi certaines scènes enfantines. J'inventais avec conviction, illuminant artificieusement mon regard des lueurs de la magie et m'astreignant à une bizarrerie de manières.

– Ainsi, me disais-je, il m'est plus aisé d'être une sorcière professionnelle et scélérate qu'une véritable.

Isabelle assista à l'une de mes leçons et m'en fit compliment. J'en vins alors à douter d'avoir jamais possédé d'autre don que celui de l'affabulation et qu'existât même le genre de pouvoirs qu'avaient cru détenir les femmes de ma famille maternelle. Peut-être, me disais-je, ne s'agissait-il là que de superstition, peut-être ma mère prétendument si douée et moi-même n'avions-nous réussi qu'à nous persuader profondément –, au point de croire en ce que nous pensions voir –, d'histoires de malheureuses, de pauvres vieilles soumises et naïvement malignes comme l'avait été mon aïeule crédule, férue de divination, la mère de ma mère ? Et peut-être, me disais-je encore, mes filles s'étaient-elles tout bonnement sauvées, en auto-stop, peut-être avaient-elles été arrêtées quelque part ou se cachaient-elles dans quelque autre Université Féminine parmi tant de jeunes filles semblables à elles ? Je ne devais être, somme toute, qu'une pitoyable femme abandonnée et frauduleuse, comme mes collègues au visage marqué de triste infamie, de médiocre déchéance.

Je prenais mes repas en leur compagnie, assise à la grande table des professeurs, dans un coin

147

du réfectoire. Isabelle ne se montrant pas au moment du déjeuner et, comme elle interdisait d'habitude toute allusion publique aux doulou- reux événements qu'avaient pu connaître ses employées avant de devenir professeurs, celles-ci profitaient de leur courte liberté pour évoquer complaisamment leurs ennuis anciens. Se cou- pant la parole, désespérant d'être entendues et se moquant de ce que racontaient les autres, les professeurs chuchotaient bruyamment en étirant au-dessus de la table leur cou tendineux, en allongeant leur longue et maigre figure sur laquelle le fond de teint posait un masque gras, beige, qui s'opposait à la pâleur de la nuque, et débitaient d'une voix furieuse, âcre, éperdue, leur dèche enrageante, heureusement terminée pour l'heure, les maris increvables et violents disparus elles ne savaient où (et qu'il y reste, bon débarras), les enfants placés à l'institution sani- taire du département, dont elles n'avaient pas de nouvelles, qu'elles se promettaient nébuleuse- ment de reprendre un jour, qu'elles avaient pré- nommés de vocables extraordinaires et recher- chés qui évoquaient, pensais-je, certains noms donnés aux chiots ou aux chatons. Et tandis qu'avait lieu, du côté des professeurs, cet échange de monologues frénétiques, les étudian- tes, dans l'autre partie du réfectoire, parlaient calmement des leçons dispensées par ces mêmes professeurs tout juste réchappées de la mouise (Technique de la méditation fervente, Thérapie

148

par les herbes subliminales, Voyage astral sans secousse, Montée du fil d'argent), tout en avalant avec appétit les légumes cuits à la vapeur et les germes de diverses céréales qui semblaient leur profiter miraculeusement, contribuer à la belle roseur de leur peau bien tendue, à la santé luxuriante de leurs cheveux négligemment coiffés, alors que les professeurs, elles, paraissaient fondre et se creuser un peu davantage à chaque bouchée, qu'elles engloutissaient sans dissimuler leur répugnance, regrettant du passé une seule chose, disaient-elles, la viande, dont beaucoup rêvaient la nuit et avouaient que l'absence était une torture. Aprement, elles se félicitaient pourtant de leur situation présente. Mais elles s'étaient si bien convaincues depuis longtemps qu'on ne devait toute position qu'au hasard et que, pour elles, la chance n'était jamais que provisoire, qu'une certitude amère de l'échec à venir fronçait et crispait leurs lèvres minces dans le même temps qu'elles se vantaient de leur veine.

– Ça ne pourra pas durer, remâchaient les professeurs, tournant le dos aux jeunes filles passionnées de mystère et de dépassement de soi, leur montrant le frisottis laqué de leur chevelure souffrante, leur échine efflanquée, voûtée, sournoise.

Isabelle me fit appeler un matin.
– Quelqu'un t'attend dans mon bureau, me

dit-elle d'une voix contrariée, une tête de minable, il veut te parler à toute force.

Je jetai un coup d'œil méfiant dans la somp-
tueuse cage de verre qu'était le bureau d'Isabelle. Robert était là, ébloui de lumière. Il cli-
gnait des yeux et, désorienté, tiraillait son veston,
sans oser s'asseoir ni fouler la moquette. L'ins-
tallation luxueuse de l'Université Féminine le
démontait, lui qui, me rappelai-je, était inspecteur des écoles. Il me jeta un regard choqué.

– Eh bien, il y a de l'argent ici, lança-t-il avant
même de me saluer, et il tournait sur la pointe
des pieds en quête d'ombre pour son visage.

– Quel plaisir de vous voir, Robert, dis-je,
saisie d'émotion. Et Maman ?

– C'est elle qui m'envoie.

Je devinai alors que cette démarche le fâchait
extrêmement. La clarté semblait incendier son
crâne lisse, piqueté de taches brunes, consumer
toute sa personne fragile et probe. Il plongea la
main dans sa poche et sortit une petite boîte de
carton rouge et jaune, une boîte de bouillon en
cubes, reconnus-je, étonnée. Il me la fourra entre
les doigts avec une grimace d'écœurement, me
fit signe de l'ouvrir, puis recula d'un bon pas et
fixa son regard outré et lointain sur les blés qui
nous cernaient de toutes parts. J'abaissai prudemment un des côtés de la boîte. A l'intérieur,
un petit escargot gris bavait sur une feuille de
salade. Comme je dévisageais Robert sans
comprendre, il se mit à danser d'un pied sur

150

l'autre. Il rougissait, de honte et d'exaspération, ne voulant porter les yeux sur moi, les posant maintenant, pleins d'un mépris scandalisé, sur le mobilier professionnel d'Isabelle aux angles de verre coupant. Puis, d'une voix terne, morose :

– Ta mère affirme que cette bestiole est ton père. Oui, ce limaçon que tu tiens. Moi, je m'exécute, je fais et je répète ce qu'elle m'a dit, mais je n'ai rien à voir avec cette histoire de fous. Samedi, elle a pris le train pour aller au bord de la mer, elle est rentrée dimanche avec l'escargot dans son sac. Elle ne pouvait pas prendre de congé en ce moment, alors elle m'a demandé de t'apporter l'escargot ici, à Châteauroux (moi, je ne savais même pas que tu vivais à Châteauroux), et de te dire : C'est ton père, il n'a que ce qu'il mérite. Elle trouve qu'il avait refait sa vie d'une manière déplaisante, ou trop vite, ou trop volontiers, est-ce que je sais – moi, je ne me mêle pas de ça. Tu sais que je tiens beaucoup à ta mère, alors je passe sur certaines choses, mais ne m'en demande pas plus.

Atterrée, je contemplai l'escargot, du genre le plus commun, occupé à grignoter le morceau de laitue.

– Maman n'a pas osé me le remettre en mains propres, murmurai-je, elle sait qu'elle a été... méchante d'une manière impardonnable.

Robert transpirait dans son costume de tergal. La clarté incandescente le faisait larmoyer. Furieux soudain, il s'écria :

– Que je déteste toutes ces sornettes ! Ma première femme, Josiane, allait consulter une voyante tous les mois. Je ne lis même pas mon horoscope, je hais ces bêtises. Josiane y était pourtant bien accrochée. Et voilà que ta mère...

– Maman est une grande sorcière, dis-je, légèrement fâchée.

Robert se tut, ramassa une petite serviette qu'il transportait, un baise-en-ville élimé. Il dit froidement :

– Cet endroit me révolte.

Puis il sortit du bureau d'Isabelle en se hâtant. Quant à moi, je regagnai ma chambre afin d'y mettre mon père à l'abri, dans la poche de mon imperméable. Je vis par la fenêtre Robert qui montait dans une vieille petite Fiat, s'éloignait rapidement le long de la Prairie de la Méditation, passait plus vite encore devant le parc du concessionnaire où les limousines à l'affût, uniformément argentées sous le soleil, ouvraient sur la route des gueules féroces, corrompues, sur la petite voiture du loyal Robert qui fuyait vaillamment. Il s'en allait retrouver ma mère, et je ne pensai pas alors qu'elle le tenait épris d'elle grâce à quelque tour, mais qu'il aimait sans doute son sérieux, sa gaieté mesurée, la modestie de ses ambitions de secrétaire persévérante, l'esprit pratique, économe, qui lui avait inspiré de fouiller dans son placard à provisions à la recherche d'une boîte de bouillon dans laquelle elle pût garder prisonnier son premier mari. Robert n'aimait d'elle que la charmante petite femme un peu bornée. Confondue de crainte et d'admiration, je regardai à nouveau l'escargot. Il semblait que ma confiance dans le grand talent de ma mère se satisfît pour ressurgir de ce qu'elle déclarait.

Nous étions le quinze juin, et ma mère ne pouvait ni mentir ni se tromper.

Je téléphonai subrepticement au bureau de mon père, rue de Rivoli. Il me fut répondu qu'il n'était pas là. Puis, comme j'insistais, avançant que j'étais sa fille :

— Il n'a pas intérêt à revenir, me confia l'interlocuteur, on le recherche pour l'arrêter, la société porte plainte contre lui. Excusez-moi, mais c'est une canaille, il a détourné des fonds importants, lui qui avait une si bonne place ici, il a voulu croquer encore plus gros. Excusez-moi encore, mais je crois qu'il menait une vie dissolue. Il avait rendez-vous, ce week-end, avec une dame, sur la côte. Est-ce que je me permets d'aller sur la côte, moi ? Eh bien, on récolte ce qu'on a semé, notre compagnie avait pourtant fait beaucoup pour lui.

Je raccrochai en tremblant, accablée par l'échec de ce que j'avais tenté. Comment, me demandai-je, avait-elle pu le haïr à ce point ? Et comment supportait-elle les attentions blêmes, satisfaites, de l'ennuyeux Robert au torse étroit et blafard, au ventre pointu ? Comme je m'étais méprise sur leur compte à tous ! La façon dont je m'étais fourvoyée, pensai-je, était moins admissible encore que l'extrême cruauté de ma mère, qui était au moins, elle, une sorcière parfaite et intègre. Et pour une telle erreur, me dis-je, honteuse, résignée, il n'y aurait jamais de châtiment assez dur, et jamais de peine assez lourde pour un tel manque de talent.

Quelques jours après la visite de Robert, deux gendarmes se présentèrent à l'Université Féminine, bientôt suivis de plusieurs messieurs en complets gris qui descendirent dignement de voitures sombres et lustrées. Je les vis parlementer avec Isabelle, s'étonner avec elle, graves et bienséants, puis Isabelle m'envoya chercher et, lorsque j'arrivai dans le réfectoire, elle me fit un regard plein de reproche, seulement destiné, compris-je aussitôt, à établir sa surprise et son innocence devant les messieurs. Car l'opinion de ces derniers lui était favorable. L'un d'eux alla jusqu'à lui sourire d'un air tranquillisant, protecteur, avant de tourner vers moi des yeux outrés.

— J'ai l'ordre de vous emmener, me dit le gendarme avec un fort accent du Centre.

Il m'empoigna fermement par le bras.

— Vous êtes accusée de charlatanisme et d'escroquerie, dit un autre monsieur, dégoûté.

Il recula, cacha ses mains dans son dos, leva le menton.

— Ces messieurs sont conseillers municipaux,

généraux et régionaux, dit alors Isabelle avec l'expression navrée et polie de qui doit expliquer ce qu'on devrait connaître.

Un silence s'installa dans le réfectoire incendié de limpidité. L'air était pur, les intentions de tous étaient pures, seules mes pratiques troublaient l'atmosphère de moralité et de devoir effectué. Dans la lumière brasillante, Isabelle et les visiteurs se tenaient droit et m'observaient avec sévérité. L'ardent soleil de Châteauroux avait déjà hâlé leurs visages, tandis que je n'étais que rougeur et confusion.

– Ces messieurs ont placé leurs filles chez nous, poursuivit Isabelle, et il paraîtrait que, lorsque tu prétends voir leur existence, tu ne fais que débiter des calembredaines, sans même plus prendre la peine d'être sincère. Les jeunes filles se sont plaintes que tu les trompes.

Elle s'interrompit, comme étranglée par une calme indignation. Les messieurs et les deux gendarmes hochèrent la tête. Je serrai au fond de ma poche la petite boîte qui renfermait mon père, je murmurai :

– Je suis une espèce de sorcière, malgré tout. Là-dessus, je n'ai abusé personne.

Un monsieur ricana. Les autres pouffèrent d'écœurement et d'incrédulité. Seuls les gendarmes se tenaient réservés et méfiants, comme hésitant à me croire tout de même.

– Vous n'êtes qu'une méprisable arnaqueuse, siffla l'un des conseillers. Une sorcière, hein ?

Laissez-nous rire. Vos élèves vous ont percée à jour. Nous croyons à tout, même aux sorcières s'il le faut, mais vous n'êtes qu'une invention de sorcière, une vile tricheuse qui salissez injustement la réputation de cette excellente maison.

Consternée, je ne trouvai pas à protester. Isabelle me toisait avec dureté et froideur, et lorsque les gendarmes, d'une bourrade, me firent sortir du réfectoire, agrippés à mes bras mais se gardant à une prudente distance de ma personne, elle s'approcha du petit groupe des conseillers et leur proposa des jus de fraise glacés. L'un des gendarmes monta avec moi à l'arrière de la voiture tandis que l'autre s'installait au volant. Quelques étudiantes qui flânaient le long des blés, appesanties de chaleur et d'hermétisme, nous regardèrent un peu de leurs yeux vagues, flegmatiques, bien élevés. A travers la baie rougeoyante du réfectoire, je vis encore l'ombre jaune d'Isabelle se ployer, pateline, courtisane, vers les silhouettes obscures des conseillers, leur tendre un plateau, des verres remplis d'une boisson pourpre, puis se courber encore jusqu'à ce que sa tête dorée vînt effleurer les genoux des conseillers, pour ramasser je ne sais quoi, me dis-je, ou témoigner de sa victorieuse soumission.

– On se tient tranquille, hein, grommela le gendarme à mon côté.

La voiture roulait sur la périphérie de Châteauroux (je ne verrai donc jamais Châteauroux, pensai-je), longeant les blés, les blés, les maïs, les bazars aux enseignes familières (qu'est-ce que c'est que Châteauroux ? me demandai-je), les entrepôts disparates. Le gendarme s'était assis aussi loin de moi que possible et, lorsque je tournais les yeux vers lui pour me donner une contenance, son air rogue, défiant, prenait une fixité haineuse. Il me craignait, découvris-je avec étonnement. Il était jeune, grêle, craintif, et sa main avait répugné tout particulièrement à m'empoigner tout à l'heure.

Enfin le vieux bâtiment blanchâtre de la gendarmerie apparut, à l'endroit le plus ombreux et le plus désolé du pourtour de Châteauroux que nous avions suivi, me semblait-il, pendant un temps considérable. Aux étages, la peinture des volets bruns s'écaillait, un linge foncé et des pantalons d'uniforme démodés s'égouttaient aux fenêtres des logements. Les deux gendarmes me firent entrer dans une petite pièce meublée de chaises et d'un bureau gris et, tandis que le chauffeur s'installait à ce dernier, soupirant d'ennui, l'autre me tâtait les poches avec répugnance, du bout des doigts, les bras tendus. Une légère sueur d'anxiété luisait sur son front plissé. Il trouva la boîte, l'ouvrit lentement.

— Qu'est-ce que c'est que ça ? murmura-t-il, le regard de côté.

Je m'efforçai à la désinvolture.

— Ce n'est qu'un escargot.

Mais je me représentai la détresse et la misère

157

de mon père et une forte angoisse m'étreignit. Un peu trop hâtivement, j'avançai la main pour reprendre la boîte. Le gendarme bondit en arrière, pâle et gauche. Il lança mon père sur le bureau, marmonna une vague menace à mon encontre, me défendant de faire le moindre mouvement. Je m'écriai alors :

— Je suis accusée d'escroquerie ! Je suis accusée, précisément, de ne pas être une véritable sorcière, de me faire passer pour ce que je ne suis pas.

Et un ricanement m'échappa, qui me rappela Isabelle.

— J'ai mon idée là-dessus, souffla le gendarme.

Il hésita puis, comme s'armant de courage :

— On sait bien que les... que les femmes comme vous essayent de persuader qu'elles n'en sont pas.

Après quoi il me conduisit au fond d'un couloir, jusqu'à une étroite cellule fermée d'une grille. Il la verrouilla avec soulagement derrière moi, alluma le plafonnier du couloir, retourna à pas pressés vers la salle où j'entendais son collègue remuer des papiers et des clés, donner des recommandations et se préparer à partir. Je frissonnais dans mon tailleur ensoleillé de la Santé Spirituelle et je m'enveloppai du plaid humide qui couvrait un lit de camp.

— Il n'y a pas de raison, pensai-je pour que je ne récupère pas l'escargot une fois sortie d'ici.

Mais je sentais bien par-devers moi que j'avais

158

très certainement perdu mon malheureux père, qu'on ne se soucierait pas de prendre soin de lui, et que j'étais ainsi entièrement responsable de sa fin pitoyable. Assise sur le lit, je contemplais mes pieds, l'esprit noyé d'amertume et de chagrin, et d'indifférence pour moi-même. Là-bas, dans la salle, une porte claquait, une joyeuse voix de femme sonnait haut. J'entendis rire une fillette ; mon gendarme, sans doute, la soulevait dans ses bras.

– Voilà ton dîner, disait la femme.

Il y eut des bruits de papier d'argent qu'on défroisse. L'enfant, sur un ton strident, autoritaire, de fille chérie, se vanta d'avoir confectionné des biscuits.

– Ma petite merveille ! s'exclama le père, et je revis sa nuque mince, son jeune visage imberbe, nerveux, inquiet. Mon petit gâteau de sucre ! dit-il encore.

La femme rigola. Après un échange de baisers bruyants, généreux, la porte s'ouvrit, se referma, le silence se fit. Soudain (j'avais dû m'assoupir, pensai-je aussitôt) le gendarme fut devant la grille de ma cellule. Il respirait fortement. Ses traits m'apparurent tellement déformés par la fureur et la répulsion que je me redressai, alarmée. Des miettes de sandwich collaient à ses lèvres humides. Mon petit gâteau de sucre, me rappelai-je, tout en reculant vers le mur du fond. Quoique si jeune, il était tendre pour sa fille. Il enflamma d'une main une sorte

159

de longue mèche qu'il tenait dans l'autre, la lança entre deux barreaux, jusque sur le lit de camp qui s'embrasa.

– Maudite sorcière, cria-t-il d'une voix étouffée. Maudite, maudite.

Puis il ricana, rageur, jubilant, haineux, son visage eut l'expression forcée et grotesque des masques de carnaval sataniques tandis qu'il regardait l'épaisse fumée malodorante s'élever péniblement du matelas, venir à moi avec lenteur, réticence (allait-il, me demandai-je, en tirer une conclusion favorable à mon égard ?) et commencer à me piquer les yeux, la gorge, m'empêchant de crier car mes narines étaient déjà blessées et brûlantes et que, par ailleurs et bien davantage encore, la honte m'étouffait.

– Maudite, sifflait-il de nouveau, l'œil exorbité, crève, crève...

Et ma honte était telle, et mon consentement à ce qu'il voulait si résigné, que la voix enjouée, vibrante, qui jaillit alors depuis la salle, au-dessus du médiocre crépitement de ce feu difficile et morne, me contraria tout autant que lui. Il jura, retrouva sa pâle figure inoffensive de jeune père moderne, se précipita dans le couloir en direction de la voix maintenant légèrement inquiète.

– Qu'est-ce que c'est que cette odeur ? s'exclamait la femme. Je viens chercher mon panier, où est le panier de ton dîner ?

160

– Et où est ma petite merveille, où est mon petit gâteau de sucre ? demandait-il, haletant.

J'arrivai enfin au cœur de Châteauroux, mes yeux fatigués se levaient sur les façades aveuglées de blancheur et de clarté. Je devais les baisser bien vite, sans rien voir. L'intense soleil de Châteauroux posait sur chaque chose un voile immaculé et hallucinant. Je marchais d'un pas vif malgré mon épuisement.

– Qu'avez-vous fait de ma petite boîte ? avais-je osé demander avant de quitter la gendarmerie.

Sans doute était-elle déjà partie aux ordures et mon père sans défense, placé sous ma garde, avait péri certainement d'un coup de talon. A ma question, le gendarme aurait répondu d'une taloche irritée s'il n'avait eu une telle horreur de me toucher.

J'arpentais maintenant le centre de Châteauroux. C'était le début d'un chaud après-midi et les rues étaient désertes, les boutiques closes. Je débouchai sur la grande place aux mille colonnes, aux clochers blancs, pavée de blanc, à l'instant où un autocar s'y garait. Voyages du Centre, Voyages de France – Je Roule Français. Quelques personnes isolées, un peu hagardes, descendirent lentement du car aux vitres fumées, dans la brutale luminescence de Châteauroux, suivies d'un petit groupe qui demeura figé au milieu de la place et dans lequel je reconnus de loin Pierrot, sa maman, la femme et les trois enfants de sa nouvelle famille. Je m'approchai d'eux prudemment, la main au-dessus des yeux, souriant d'un sourire poli et vague bien que je sentisse mes jambes trembler. Pierrot m'aperçut le premier. Il me regarda un peu, avec indifférence. Il était plus joufflu encore que la dernière fois où je l'avais vu, plus négligemment barbu, mais son air de componction et d'aménité excessive l'avait quitté pour l'expression de mauvaise humeur impatiente, d'irritation constante et sans objet précis que je lui avais bien connue. Il tourna les talons avant même que je fusse à sa hauteur et trottina lourdement sur la place éblouie en direction d'un bar, sous les arcades.

– Ma chère Lucie, s'exclama la maman.

Elle me serra sur sa poitrine, sans gêne ni ressentiment. Je sentais la joie battre dans sa cage thoracique, dans son cou puissant parcouru de petits tremblements de plaisir.

– Voici ma nouvelle belle-fille, chuchota la maman en me montrant la femme au visage large et bon. Elle a de la religion. Et regarde, regarde un peu.

Elle tirailla la manche de la femme pour la faire venir plus près. Suivant le regard de la maman, je vis alors qu'elle avait le ventre gonflé sous son tee-shirt crasseux. Elle me sourit avec abnégation, avec clémence, mais s'écarta légèrement et rassembla dans son dos les trois enfants suants et abattus. La fillette suçotait la petite croix pendue à son cou.

– Elle craint que je ne m'approche, pensai-je, blessée.

Puis la femme croisa les mains sur son ventre et une immense fatigue tomba sur ses traits englués de compassion. Seule l'innocente maman supportait sans même paraître l'éprouver l'impitoyable chaleur de Châteauroux.

– Rien ne la fera jamais me redouter, pensai-je encore.

La maman pérorait, autoritaire, ravie, lancinante.

– C'est un petit voyage d'agrément, une excursion, allons donc visiter Châteauroux, je leur ai dit, ça vous changera les idées, je vous invite. Aucun de nous ne connaît Châteauroux, et Pierrot est bien sombre, et il faut sortir les gamins. On dit que Châteauroux est une belle ville, qu'on y mange bien, nous allons voir. Si tu savais comme je suis heureuse, Lucie.

Elle caressa le ventre, le tissu taché de la femme, qui jetait ses bras en arrière pour retenir les enfants et les garder écartés de moi.

– Pierrot a dû vendre sa voiture, continua la maman sur un ton important. C'est qu'il ne trouve rien à Bourges. Je lui ai dit : Viens donc travailler à Poitiers. Mais il refuse, il s'entête. Oh, il y viendra. Et puis, avec l'argent dont tu me parlais, il a voulu monter une école de commerce. Mais il n'a pas eu la moindre inscription.

Et la maman se mit à rire avec gaieté, fraîcheur. La femme l'imita, par humanité. Alors les deux garçons poussèrent des beuglements, autorisés à rire et ne s'en privant pas. Ils riaient comme des forcenés, désespérément, tordus, congestionnés.

– S'ils venaient tous à Poitiers, je pourrais m'occuper du bébé, reprit la maman.

Je demandai des nouvelles de Lili. La maman s'éventa de la main, sa bouche eut une rapide moue de regret.

– Lili est perdue, murmura-t-elle.

Puis, d'une voix docte :

– Ma fille n'a plus sa raison. Elle me parle d'oiseaux, elle affirme que je ne sais quels oiseaux doivent venir la prendre ou qu'elle-même doit prendre la forme d'un oiseau, je ne sais plus, je ne la comprends pas. Elle se lamente car rien ne se passe, mais elle n'a plus sa raison, n'est-ce pas. Que veux-tu que je lui dise ? Je lui dis simplement : Comment voudrais-tu t'envoler, grosse et lourde comme tu es ?

Là-bas, Pierrot venait lentement à notre rencontre, les épaules basses, le cou rentré. A sa vue, les enfants cessèrent brutalement de glousser et de se tortiller. Les paroles de la maman me parvenaient avec lenteur, comme amollies et retardées par l'air chaud, immobile. A l'instant où j'allais la saluer et m'en retourner, en me demandant que faire et dans quelle direction porter mes pas, la maman, de nouveau gaie, voulut connaître mes projets pour les vacances d'été toutes proches.

ÉLOGE DU CHARME

*D'un côté, une description minutieuse de quo-
tidiens ordinaires baignés d'ennui, de drames,
d'angoisse, de solitude. De l'autre, un récit fantastique et onirique. Entre les deux, la plume
ensorceleuse de Marie NDiaye confectionne un
roman paré de toutes les séductions.*

A la sempiternelle mélopée sur la décadence de
la littérature française s'en ajoute aujourd'hui une
autre, d'une inspiration tout aussi magique, celle de
la fin de siècle. Comme la plupart des mythes, celui
de la fin de siècle n'a pas d'auteur reconnu ; sa
véracité n'en est que plus indiscutable. Les siècles,
ces constructions de l'esprit élevées sur des bases
arbitraires et diverses – la date, présumée et erro-
née, de la naissance de Jésus-Christ pour ce qui
concerne l'Occident chrétien –, connaîtraient une
évolution vitale assez semblable à celle des hommes.
Pleine de vigueur et de créativité dans les périodes
de jeunesse et de maturité, elle s'étiolerait inexora-
blement dans les dernières années, pour laisser
place à la sénilité, à l'épuisement, à la répétition
maniaque et pusillanime, à la langueur et au byzan-
tinisme. On avait Molière et Racine, on sombre

169

dans Dufrésny et Crébillon ; le siècle des Lumières tourne en eau de boudin avec les illuministes ; celui d'Hugo et de Flaubert se meurt dans les voluptés fades de Paul Bourget et de Jean Lorrain. Quant à notre XXᵉ...

Ne nous étonnons donc pas trop si tout fout le camp : c'est inscrit dans les dates. Il n'y a plus qu'à faire le gros dos en attendant que décadence se passe et que nous héritions enfin d'un siècle nouveau ; mieux encore : d'un nouveau millénaire, tout frais, tout neuf. Côté superstition et chronopathie, nous n'avons rien à envier aux millénaristes du Moyen Age. L'horizon 2000 de l'ère chrétienne – sans la moindre signification pour les trois quarts de l'humanité – façonne déjà les discours, les imaginations et les projets. Pour nous défaire de ce trompe-l'œil, rien ne vaut la lecture de *La Sorcière* de Marie NDiaye. D'abord pour répondre aux contempteurs de la « fin de siècle » et de sa prétendue déliquescence. Marie NDiaye n'a pas trente ans. *La Sorcière* est son sixième roman depuis *Quant au riche avenir*, paru en 1985. Nulle trace chez cette jeune femme de torpeur neurasthénique ou de fièvre anxieuse. Dès son premier livre, rédigé sur les bancs du lycée, elle s'est installée dans un univers bien à elle et qui ne doit rien à l'imitation d'un modèle ancien, ni à l'application d'une doctrine, ni à l'enseignement d'une école, ni à la soumission à une mode. Elle a lu, sans doute, beaucoup ; l'extrême souplesse de sa langue ne trompe pas ; mais si elle s'est choisi des maîtres, bien malin qui pourrait dire lesquels tant elle les a assimilés à son propre usage et à sa propre invention littéraire.

Marie NDiaye s'impose en premier lieu par son originalité ; elle a un propos et une voix qui ne ressemblent à rien de connu.

Cette originalité s'accompagne d'un métier. *La Sorcière* est mieux qu'un livre d'auteur comme il y en a tant, c'est un livre d'écrivain : entendez que celle qui écrit sait disparaître derrière ce qu'elle écrit pour ne laisser deviner qu'une ombre vague et secrète, une présence. Dans une société littéraire dominée par le spectacle, cette position constitue un handicap, et nul doute que la réputation de Marie NDiaye serait beaucoup plus grande et ses lecteurs plus nombreux si elle consentait à livrer un peu de sa personne à travers ses personnages. Mais ce n'est pas son travail. Le sien consiste à s'améliorer de livre en livre, à creuser plus net le sillon, à traquer les facilités de plume, à parfaire son observation du monde et à se méfier, en bon classique, de ses dons, qui sont riches et nombreux. Il est précisément question de dons dans *La Sorcière* ; des dons de voyance et de métamorphose qu'on se transmet de mère en filles dans la famille de Lucie. Lucie n'est pas une sorcière très douée ; ses visions sont plutôt courtes et souvent parcellaires : inefficaces, donc, dans un monde où l'efficacité est devenue la pierre de touche des valeurs. Car Lucie est une sorcière de notre temps. Elle habite un pavillon dans un lotissement de banlieue pour classes moyennes ; elle est dotée d'un mari qu'elle n'aime pas davantage qu'il ne l'aime et qui bientôt va la quitter pour aller retrouver, à Bourges – capitale de la sorcellerie –, une autre femme et un autre foyer. Elle a surtout deux filles, des jumelles, Maud et Lise, qui,

171

ayant atteint l'âge de douze ans, celui de la puberté, sont à leur tour initiées aux rites de voyance et se révèlent d'emblée infiniment mieux pourvues que leur mère et dotées de surcroît d'un solide sens pratique et d'un non moins redoutable égoïsme. Elles sont modernes, ces jeunes sorcières, façonnées par la morale et la vision du monde des séries télévisées, et Lucie ne tarde pas à perdre pied face à ces deux donzelles délurées et agressives.

Le livre se déroule donc sur deux plans que l'art de Marie NDiaye parvient à conjoindre, sans couture apparente. Sur un bord, une description presque ethnologique de la vie ordinaire des citoyens ordinaires dans la France petite-bourgeoise et toujours provinciale d'aujourd'hui, avec ses rites, ses habitudes, ses tempêtes médiocres, son ennui profond et soigneusement entretenu. Avec ses drames aussi, qui, pour être éternels, n'en sont pas moins porteurs d'angoisses et de douleurs : les enfants qui grandissent, qui s'éloignent de vous et qu'on ne comprend plus ; les familles qui éclatent, le goût de l'avenir qui s'éteint dans la répétition des jours, la conjugalité qui tue l'amour, l'argent après lequel on court, les petites tyrannies auxquelles on cède, sans motif, par pente, par indifférence. Un paysage d'accablement, de soupe quotidienne et de formica briqué, si pesant, si étouffant, si immobile qu'on y espère le mouvement salvateur d'un crime. Quand quelque chose se passe, quand un père, par exemple, abandonne sans prévenir et à jamais épouse, enfants et foyer douillet, la force d'inertie est telle et telle l'indifférence à la vie réelle que rien, en fin de compte, n'a lieu : « *La connaissance des*

172

comportements humains que mes filles acqué-
raient, non dans les livres (elles ne lisaient que
des magazines) mais grâce aux feuilletons télévi-
sés, était si fruste, internationale et standardisée
qu'elle avait une efficacité certaine dans les situa-
tions très communes comme celle-ci. (...) Je
constatais avec soulagement qu'elles ne sem-
blaient pas plus émues que si ces faits de leur
existence concernaient les personnes qu'elles
regardaient maintenant, dans un silence attentif,
raconter leurs propres malheurs, dans cette émis-
sion de confidences et d'épanchements qu'elles
affectionnaient. »

Sur l'autre bord, un récit fantastique et onirique où les femmes pleurent des larmes de sang, où les enfants se transforment en corneilles et s'envolent (n'attend-on pas des adolescents qu'ils apprennent à « voler de leurs propres ailes » ?), où les épouses changent en escargot le mari volage. La rhétorique banale voudrait que ce second mode de narration soit la face cachée ou symbolique ou métaphorique du premier. Le propos de Marie NDiaye est tout autre : faire sentir, faire voir que face à l'énigme du monde et à l'obscurité du réel, nos sociétés dites rationnelles, scientifiques et pratiques continuent à se fabriquer des réponses qui ne diffèrent guère de celles qu'apportaient les sorciers, les mages, les griots et les chamans. Dans les pavillons Bouygues pour cadres à attachés-cases continuent à résonner les incantations des pythies et les tambours des thaumaturges. Pour ne rien dire de la prospérité des charlatans.

Pour nous entraîner sur ce chemin escarpé et si

riche de vues nouvelles, Marie NDiaye a recours à la fantaisie – au sens employé quand on parle d'une fantaisie chromatique de Bach : une liberté d'imagination parfaitement construite et réglée. On pourrait tout aussi bien nommer cela de l'envoûtement si ce mot ne traînait pas avec lui des relents de maléfice un peu lourdauds. Or la prose de notre sorcière est d'une incroyable légèreté. Les phrases font penser à des vols d'oiseaux, aériennes, libres, joyeuses, avec d'imprévisibles changements de direction, précisément calculés pourtant pour atteindre en pleine cible leur objectif. Il faut dire un mot à ce propos sur la manière qu'a la romancière de jouer avec la conjugaison, dans une parfaite correction grammaticale, certes, mais en dosant assez subtilement les temps et les modes pour donner au lecteur un sentiment d'incertitude et de langage, d'indécision temporelle, de coexistence du passé et de l'avenir dans l'instant présent.

Livre grave qui parle avec des accents inédits de l'ennui, de la solitude, de l'abandon et de l'angoisse, livre de réflexion aussi sur l'archéologie de notre vie quotidienne et sur le substrat de barbarie qui continue à régler nos comportements prétendus civilisés, *La Sorcière* est surtout un livre délicieux écrit avec plaisir, pour le plaisir et pour celui de ses lecteurs. « Délicieux » n'est pas un adjectif qui a le vent en poupe, pas plus qu'« agréable » ou « exquis » ; on ne sait trop quelle bile de mauvaise conscience ou de vanité fait paraître ces qualités-là superficielles et superflues. Sera-t-on mieux compris en écrivant que *La Sorcière* nous tient sous son charme ? Au contraire de son héroïne, la pauvre Lucie aux sortilèges émoussés, ce roman est paré de toutes les séductions, les plus discrètes et les plus fines. Au point qu'il ne faudrait pas grand-chose pour qu'il devienne luxueux.

Mais un souffle de rigueur et d'austérité vient restaurer ce qu'il faut d'équilibre et d'harmonie. En sorcellerie comme en écriture, il est moins difficile d'avoir des dons que d'en faire bon usage. Malgré de visibles efforts, Marie NDiaye, dans ses romans précédents, ne parvenait pas toujours à mâter des pulsions virtuoses, ni des cabrioles de gamine. Aujourd'hui, elle donne le meilleur, sa plénitude accomplie : une comédie classique ; c'était le titre de son deuxième roman.

Pierre Lepape
Le Monde, 6 septembre 1996

CET OUVRAGE A ÉTÉ ACHEVÉ D'IMPRIMER LE
VINGT-HUIT NOVEMBRE DEUX MILLE SEPT DANS LES
ATELIERS DE NORMANDIE ROTO IMPRESSION S.A.S.
À LONRAI (61250) (FRANCE)
N° D'ÉDITEUR : 4507
N° D'IMPRIMEUR : 073307

Dépôt légal : décembre 2007